VISAGE RETROUVÉ

DU MÊME AUTEUR

THÉÂTRE

Alphonse, Leméac, 1996.

Les Mains d'Edwige au moment de la naissance, Leméac, 1999.

Pacamambo, Leméac/Actes Sud-Papiers, coll. « Heyoka Jeunesse », 2000 ; Leméac/Actes Sud Junior, coll. « Poche théâtre », 2007.

Rêves, Leméac/Actes Sud-Papiers, 2002.

Willy Protagoras enfermé dans les toilettes, Leméac/Actes Sud-Papiers, 2004.

Assoiffés, Leméac/Actes Sud-Papiers, 2007.

Le soleil ni la mort ne peuvent se regarder en face, Leméac/Actes Sud-Papiers, 2008.

Seuls. Chemin, texte et peintures, Leméac/Actes Sud-Papiers, 2008.

Le Sang des promesses. Puzzle, racines et rhizomes, Actes Sud-Papiers/Leméac, 2009.

LE SANG DES PROMESSES

Littoral, Leméac/Actes Sud-Papiers, 1999 ; 2009.

Incendies, Leméac/Actes Sud-Papiers, 2003 ; 2009.

Forêts, Leméac/Actes Sud-Papiers, 2006 ; 2009.

Ciels, Leméac/Actes Sud-Papiers, 2009.

ROMAN

Visage retrouvé, Leméac/Actes Sud, 2002.

Un obus dans le cœur, Leméac/Actes Sud Junior, coll. « D'une seule voix », 2007.

ENTRETIENS

« Je suis le méchant ! », entretiens avec André Brassard, Leméac, 2004.

WAJDI MOUAWAD

VISAGE RETROUVÉ

BABEL

Leméac Éditeur reconnaît l'aide financière du gouvernement du Canada par l'entremise du Programme d'aide au développement de l'industrie de l'édition (PADIÉ) pour ses activités d'édition et remercie le Conseil des arts du Canada, la Société de développement des entreprises culturelles du Québec (SODEC) et le Programme de crédit d'impôt pour l'édition de livres du Québec (Gestion SODEC) du soutien accordé à son programme de publication.

Pour François Ismert,
dont le visage a su garder une immuable fidélité.

Ces visages, ces radieux visages entrevus
autrefois n'ont vraisemblablement
plus forme humaine, sauf dans la mémoire
qui en restitue avec une précision saisissante
la juvénile beauté.

Pas à pas jusqu'au dernier
LOUIS-RENÉ DES FORÊTS

Ce matin le jour ne porte pas bien son nom.

Mémoire à contretemps
ROBERT DAVREU

AVANT LA LETTRE

LE TEMPS

JE PRÉFÈRE REGARDER LES OISEAUX. Jouer avec le lacet de ma chaussure. La remplir de sable, puis la vider. Les autres parlent. Je les laisse parler. Ils s'inquiètent. Je les laisse s'inquiéter.

— Il a quatre ans, docteur, et n'a pas encore dit un mot. Pas un seul. Rien. Pas dit maman, pas dit papa, ni lolo ni miam-miam. Rien. Nous avons très peur, son père et moi, qu'il ne soit sourd, ou autiste...

— Nous allons voir ça.

Il se tourne, me regarde puis se penche vers moi.

— Alors, Wahab, pourquoi tu ne parles pas ?

— Je préfère regarder les oiseaux.

Il ne s'attendait tellement pas à ce que je réponde, qu'il s'est étouffé. Ma mère, je crois, s'est évanouie.

Jamais personne n'a entendu la voix du temps.

JE SUIS NÉ il n'y a pas longtemps. Je m'appelle Abdelwahab, comme le chanteur, mais tout le monde m'appelle Wahab. Je marche depuis peu. Je parle depuis peu. Je préfère regarder les oiseaux. L'été nous habitons à la montagne. Les autres jours, nous vivons en ville. Tout le monde klaxonne pour rien. Ma mère dit toujours avec une voix aiguë : Mais pourquoi ils klaxonnent ?

Mon pays natal n'est pas grand. Les oiseaux le traversent en une seule journée sans se fatiguer. Quand le soleil brille, il brille partout sur lui, et quand il pleut, il pleut sur tous ses habitants. Notre maison à la montagne est en pierre. À l'arrière, il y a un jardin où ma mère cultive des fruits et des légumes. Dans un coin, il y a une vigne. Elle grimpe sur une pergola. En dessous, on a installé une table rouge et des chaises pour que nous puissions manger dehors, mon père ma mère ma sœur mon frère et moi.

Le temps passe.

J'AI CINQ ANS. Hier, pour la première fois, ma mère m'a permis d'arroser les plantes du jardin. Elle m'a montré comment placer le tuyau d'arrosage pour abreuver, sans les noyer, les herbes délicates. L'été se termine. Nous retournons en ville. Demain c'est le premier jour d'école. Ça veut dire le début des embêtements. Pour me consoler, je vais jouer avec le chien de monsieur Boutros. Chaque fois que ma mère ne sait plus où je suis, elle va à la ferme de monsieur Boutros, et là, au milieu de son champ en espalier qui descend vers le fond de la vallée, on me retrouve allongé, la tête appuyée sur le ventre du chien qui dort.

Le temps passe.

Sur la banquette arrière de la voiture de mon père mon frère ma sœur et moi. Je suis assis au milieu parce que je suis le plus petit. À la radio, pas de musique, pas de chants. Une voix parle. Des mots que je ne comprends pas. Mon père dit : Ça va s'arranger, ça va s'arranger.

Le temps passe, il passe...

J'AI SIX ANS. Je suis à la maison parce que j'ai donné des coups de pied dans le ventre de Rachid, Martin, Abraham et Mike, et des coups, avec l'autre pied, dans le ventre de Toufic, Nabil, Jean, Mouaamar et encore un à Mike. Ce sont tous des élèves de ma classe. On s'est battus parce que je leur ai dit que j'étais un grand guerrier engagé dans une lutte pour la survie de l'humanité. Ils ne m'ont pas cru. Je leur ai dit qu'ils étaient nuls. Il y en a un qui m'a donné une gifle. Alors j'ai donné des coups de pied à tout le monde. Je suis un enfant violent et j'ai besoin d'être suivi par des spécialistes. Ce n'est pas moi qui le dis, c'est le directeur de l'école qui a fait venir ma mère en catastrophe pour qu'elle me ramène à la maison. Ils m'ont enfermé dans une classe sans pupitres et les autres enfants, depuis la cour de récréation, viennent me hurler des insultes à travers la fenêtre. Je ne réponds pas.

Je marche en tenant la main de ma mère. Elle pleure, mais elle ne me gronde pas. Elle me dit que je suis si doux et si gentil avec les moutons et le chien de monsieur Boutros et que je dois faire pareil. Je ne dis rien, mais je n'en pense pas moins. Les moutons et le chien de monsieur Boutros ne m'ont jamais traité de sale menteur. Ma mère me dit que si je continue à l'inquiéter, elle ne pourra plus me faire confiance pour arroser les plantes du jardin. Elle me dit aussi que je dois être responsable. Je ne réponds pas, mais je n'en pense pas moins. Je marche en tenant la main de ma mère comme on tient les fils d'un cerf-volant. Je ne veux pas que ma mère meure, je ne veux pas qu'elle s'envole. Je ne dis rien. Elle me demande à quoi je pense. Je la regarde : Maman ! Maman ! On va tous mourir car le ciel est rouge et la terre est blessée par un loup qui la mord et la dévore. Mais je ne dis rien. Je me mets à pleurer. Je m'évanouis, je crois.

Le temps passe.

J'AI SEPT ANS depuis hier. Je suis accroché au guidon de mon tricycle et je fais le tour du balcon. Je surclasse tous les records. Mon bolide fonce à des années-lumière de la Terre. Je dois me rendre de toute urgence à la planète Vulgus, où se joue le sort de l'humanité. Je n'aurai aucune pitié pour les monstres monstrueux. D'ailleurs, bien fixé sur mon guidon, tout près du klaxon, mon canon à laser me permettra de pulvériser tous les vulgaires Vulgusiens. Ma mère m'énerve. Sa présence me rappelle que je suis toujours à la maison et non pas dans l'hyperespace. C'est pas grave. Mes yeux la transforment aussitôt, elle et sa planche à repasser, en un gnome spatial horrible à écailles de morue et à yeux de mouche. Et je fonce, et je pédale, libre comme l'air. Calme-toi et roule moins vite, me hurle le gnome à la planche à repasser, et moi, courageux comme pas un, je lui réponds que le venin informe qui lui sort de la bouche ne saura pas m'arrêter dans ma mission. L'humanité m'attend et je ne faillirai pas. Victoire ! Le gnome bat en retraite. Mais pas pour longtemps, le gnome revient et me dit qu'il faut que je me dépêche pour aller rendre visite à tante Hélène. Je pleure. Je remue, me débats et me défends, mais rien à faire, me voilà dans l'ascenseur en compagnie du gnome et on descend les sept étages.

On est dans la rue. Une chaleur étouffante. Le soleil fond sur la ville. Ma mère me dit : Attends. Elle entre dans un magasin pour acheter des cigarettes. Je ne bouge pas. Il y a des voitures. Plein. Des klaxons toujours. Je dis, en imitant la voix de ma mère : Mais pourquoi ils klaxonnent ? Un autobus passe. Plein à craquer. Il s'arrête devant moi. À la radio une chanson joyeuse. Je regarde les passagers. Ils sont drôles. Il y a des femmes. Des vieux. Il y a des gros. Des minces. Des maigres. Ils suent. Un enfant de mon âge me sourit. Je m'approche. Je lève la main. L'autobus ne bouge plus. En arrière, on klaxonne pour que ça avance. Le garçon me lance par-dessus la cohue : *Kif el yôm byo'dar baad yodhar mén el layl ?* C'est une phrase de la chanson : *Comment le jour peut encore sortir de la nuit ?* Je fais semblant que je suis une danseuse du ventre. J'exécute des mouvements. On rigole. Lui dans l'autobus, moi dans la rue. Plus rien n'avance. Le chauffeur est en colère, il engueule tout le monde. Une voiture arrive en sens inverse et freine. Les pneus hurlent. Les portières claquent. Des gens courent. Je ne comprends pas. Mon ami ne me quitte pas des yeux. Tout va trop vite. Un homme arrive avec un boyau d'arrosage et inonde la carrosserie de l'autobus. Je repense à ma mère et à ses conseils pour arroser les herbes délicates. L'eau a une drôle d'odeur. Les passagers sont éclaboussés. Un mouvement de panique s'empare d'eux. Ils hurlent. Veulent sortir mais ils ne peuvent pas. Quelqu'un a bloqué la porte du véhicule. Des gens courent. Ils crient. « Ce n'est pas de l'eau. Ce n'est pas de l'eau. C'est de l'essence. De l'essence ! » Je regarde mon ami. Il est trempé. Il fait chaud. Il a les yeux grands ouverts. L'homme arrose toujours. Le chauffeur le supplie : Au nom de ta mère, au nom de ta mère ! Va te faire foutre, lui répond l'autre, et il lui tire une balle dans la tête. On crie. Le chauffeur tombe sur le klaxon. Des hommes partout. Mitraillettes entre les mains. Une femme veut sortir par la fenêtre. Trois longues rafales :

Tatatatatatatatatatatatatatatatatatatatatatatata
Tatatatatatatatatatatatatatatatatatatatatatatata
Tatatatatatatatatatatatatatatatatatatatatatatata

Et d'un coup, d'un coup vraiment, d'un coup, l'autobus flambe. Il flambe avec les vieux, les femmes et les gros. Il flambe. Tout flambe. La femme ne bouge plus, à cheval sur le bord de la fenêtre. Elle brûle. Sa peau coule. Je fixe les yeux de mon ami. Il me regarde toujours. La fumée me fait pleurer. Ça sent la viande cramée. Je suis seul. La ville s'évapore. Je flotte au milieu de rien. Brume épaisse. Les mitraillettes crépitent, le klaxon pleure, le feu avale tout et dans l'éclat des flammes, à l'intérieur de la carcasse rougeoyante de l'autobus, j'aperçois la silhouette d'une femme vêtue de noir avancer vers mon ami. Ses mains et ses bras sont de bois, son visage voilé. Cette femme n'existait pour personne avant. Elle n'avait pas de corps, pas d'âme, rien. Elle est née du feu, et maintenant elle est là, je la vois, je la vois saisir mon ami à la gorge, je la vois lui tordre le cou, lui arracher la tête, la porter à sa bouche et la dévorer. Elle se retourne vers moi. Elle me regarde. Je ne peux pas fuir. Qui est-elle ? Il n'y a plus rien, plus de lumière, plus de beauté, plus de beauté.

LE TEMPS NE PASSE PLUS de la même manière.
C'est sûr.

Les bombes tombent. Je suis assis dans mon lit.
C'est la nuit. J'entends des bruits de mitraillette.
J'entends des explosions. Personne ne vient. On
s'habitue à tout. Je suis seul dans ma chambre. Ma
sœur chez une cousine, mon frère chez un cousin.
J'appelle, mais aucun son ne sort de ma bouche. Je
me lève de mon lit. Je pousse mon lit. Je grimpe
sur le matelas. J'écarte les rideaux. J'ouvre les
vitres. Le bruit envahit la chambre et pénètre mes
oreilles et gagne mon cœur. Mais mon cœur bat
et je suis fort. Le plus fort. J'agrippe la poignée
des volets et je la fais pivoter. Si ma mère me
voyait, elle me dirait encore que je suis un enfant
irresponsable. C'est plus fort que moi. Je pousse
de toutes mes forces les volets pour découvrir la
nuit et son carnage.

La guerre.

C'est la guerre à la fenêtre de ma chambre.

C'est si beau. Les immeubles s'écroulent.
La ville à genoux. Là-bas, un arbre explose ! Et

ces bombes qui tombent! Comme un peintre qui achève sa toile à grands coups de pinceau! Maman! Je crie, mais plus personne ne m'entend! Maman! Si la guerre est si horrible, pourquoi est-elle si belle? Pour ne pas succomber, j'imagine que je suis un guerrier. Je passe sur mon cheval dans le disque blanc de la lune, je fais tournoyer mon épée, et je plonge au cœur des bombes. L'ombre de la femme aux membres de bois se profile au loin. Je hurle de peur. Je ne suis plus seul. Je ne suis même plus à la fenêtre. Je suis assis dans mon lit, entouré de ma mère et de mon père qui tentent de me calmer.

Le temps passe, mais je ne sais plus comment.

J'ai sept ans et nous sommes dans la chambre la plus sûre de notre maison de la montagne. Mon père mon frère ma sœur et moi sommes assis côte à côte et nous attendons. Nous attendons pour voir si une bombe ne va pas venir nous avaler, nous manger, comme un cheval en furie qui surgirait tout à coup du plafond pour nous déchiqueter à grands coups de sabots. Il n'est pas question pour moi d'aller jouer avec le chien de monsieur Boutros. Il faut se protéger des bombes. Je me souviens qu'il y a à peine deux ans on me montrait comment arroser les herbes du jardin. Le jardin est toujours là. Je m'inquiète. Les bombes tombent. Ma mère est dans la cuisine. Je dis : Pourquoi maman n'est pas avec nous ? Comme une réponse, une bombe abat sur nous son hennissement de souffre. Je suis convaincu que nous sommes tous morts ! Ou bien non ! Pas nous ! Mais ma mère ! Oui, ma mère est morte, je pense. La bombe l'a mangée, ma mère dans la cuisine a reçu la bombe dans son ventre ! Je veux hurler, mais je ne hurle pas ! Ma mère arrive en courant, elle n'est pas morte, mais elle a des yeux fantômes ! La bombe est tombée dans le jardin et le jardin brûle, pleure-t-elle. En la voyant, en l'entendant, j'entends sa peine. Je crie : Le jardin, le jardin ! Je veux courir pour aller voir, et mon père se jette sur moi pour m'empêcher de me jeter à mon tour dans les flammes. La cuisine brûle. Le jardin brûle. Tout brûle dans ma mémoire, tout brûle ! Ma mémoire brûle ! Mon père me retient pour m'empêcher de courir, il ne veut pas me voir brûler moi aussi avec les tomates, les courgettes et les aubergines. Reste ici, reste ici ! hurle mon père, il n'y a plus de jardin ! La bombe est tombée, demeure caché, ne regarde pas, ne regarde pas. Mais je ne l'écoute plus qu'à moitié. Dans ses bras, je pleure. Je pleure longtemps... Là, dans les bras de mon père, j'entends la voix morte de ma mère dire qu'il faut partir d'ici. Quitter le pays. Et fuir. Fuir pour ne pas mourir. Je pense aux montagnes blanches du pays de mon enfance. On se quitte pour toujours. Adieu la terre et Adieu le jardin, Adieu les moutons et Adieu le chien de monsieur Boutros, Adieu ma langue natale, Adieu. Je veux mourir, je ne veux plus être moi, je ne veux plus dire le mot « moi ». Je veux tout oublier. Tout.

Le temps, à coups d'obus, a fini par passer, sortir de son embouteillage de douleur, il s'est anesthésié, il a congelé ses souvenirs. Le temps est une poule à qui l'on a tranché la tête. C'est mieux comme ça. Il passe, mais je ne me souviens plus de rien. Je ne fais plus attention à rien. Je suis un enfant irresponsable. Demain, on prend l'avion. Un pays lointain et pluvieux m'attend. Je voudrais tellement ne plus dire « je », ne plus m'occuper de rien. Je voudrais tellement que quelqu'un dise « il » pour moi. Qu'on me débarrasse.

PREMIER LIVRE

LA PEUR

Un matin, ce fut le quatorzième anniversaire de Wahab.

Au réveil, il demeura étendu dans son lit, le visage en larmes, incapable de bouger, incapable de gémir, ébranlé par un cauchemar oublié que la nuit finissante avait repêché au siège de son âme et ramené à la surface de sa conscience.

Le songe pourtant avait bien débuté. Une rivière, miroir d'un ciel abandonné des oiseaux. Promenade le long de la rive. Mélancolie. Pont de pierre à l'horizon. À son entrée, un grand cèdre, sentinelle dans la nuit invisible. Le pont flottait dans la lumière d'un ciel trop bas, doré par un rayon lointain. Wahab chercha sa source. Les plis du paysage se perdaient dans l'opacité du rêve. Il ramena son regard vers le pont. Wahab voulut s'y rendre pour se pencher au-dessus de son muret. Contempler les profondeurs. L'eau devait gronder autour des piliers. Une vapeur se leva. Pont effacé. Ciel absent. Nuages, nuages, nuages... Il se dépêcha. Je ne dois pas arriver en retard, ma mère m'attend. Au sortir du brouillard,

le rêve bascula. Un débordement inattendu de
la rivière le prit au piège au milieu du pont. La
crue noyait le chemin, eaux noires, mouvantes...
grondement sourd emportant tout. Très haut
dans le ciel, un oiseau passa, laissant, dans son
sillon, une ligne blanche sur le ventre des nuages.
L'oiseau disparut. Un nuage tomba. Cataracte.
Wahab se retourna. Plus de cèdre. Éclair. L'air
acquit une transparence solide d'où prit forme la
silhouette d'une femme. Wahab la reconnut. Jadis,
elle avait hanté ses nuits. Elle traversa la bruine
soulevée par l'inondation et lui apparut pour de
bon. Elle n'avait pas changé. Toujours terrifiante.
Le visage voilé, vêtue de noir, ses bras, ses mains
et ses jambes n'étaient pas faits de chair. Avec
les années, Wahab l'avait surnommée la femme
aux membres de bois. Devant cette vision, sa
mémoire s'enflamma car, sortant du néant, cette
femme horrible sortait de l'oubli. Il fallait fuir, ou
courir, ou s'éveiller, mais cloué là, statufié par une
trop puissante frayeur, Wahab était incapable du
moindre geste : marcher parler agir. Toute notion
l'avait abandonné, s'était évaporée et avec elle sa
volonté. La femme aux membres de bois était sur
lui. D'une seule main, elle le saisit à la gorge. Tout
est fini, pensa-t-il. Le pont de pierre s'écroula sous
ses pieds. Il était à présent emporté par le torrent,
prisonnier de cette femme. Il voulut appeler, mais
il sentait la main de bois broyer son cou, briser sa
voix, casser sa vie. Elle approcha son visage du
sien et lui dit Je t'attrape enfin ! Il l'entendit hurler

à son oreille des mots noirs, des mots morts, mots de mondes maudits... Sa vie coulait loin de lui. Un dernier regard lui fit voir le cèdre tomber vers le haut, vers le ciel, recraché des vagues. Il le vit disparaître dans le flot des nuages roulant les uns sur les autres, éclatant au-dessus des ravages de la mer où ils allaient déverser leur lot de colère. Wahab ferma les yeux. Je suis perdu, perdu, perdu. L'existence semblait se dissoudre et, dans son mouvement, dans sa dissolution, elle fit entendre à Wahab le chant lointain de la mort. Il s'arracha à son cauchemar et ouvrit les yeux. Sa vie était sauve. On l'appelait pour le petit déjeuner. Il allait être en retard pour l'école. Il regarda le mur en face de lui.

L'horloge de la chambre indiquait sept heures précises.

Il se leva et s'habilla. Il regarda par la fenêtre, la journée s'annonçait humide et grise.

D'ordinaire, les petits déjeuners se prenaient à la cuisine, sans cérémonie, au gré des préparations de chacun, mais les jours d'anniversaire, on dressait la table de la salle à manger et toute la famille se rassemblait pour marquer l'événement. On y mangeait des plats sucrés, interdits le reste de l'année. Pour les quatorze ans de Wahab, on servit des crêpes. Il eut droit à deux rations. On l'embrassa, on lui souhaita toutes sortes de bonnes choses et on l'embrassa encore. Pour le cadeau, on se cotisa : le père la mère le frère la sœur, chacun y alla selon ses moyens et on lui offrit un petit étui en argent à l'intérieur duquel il trouva la clé de l'appartement. Avant, on le considérait trop jeune et trop irresponsable pour l'avoir en sa possession. Ce fut un grand cadeau, car jusqu'à ce jour, lorsque au retour de l'école Wahab sonnait à la porte de chez lui, il lui arrivait de patienter une vingtaine de minutes. Quelquefois, lorsque l'on passait par hasard à côté de la porte d'entrée, on lui ouvrait, mais quand toute la famille était occupée, personne ne bougeait, chacun laissant à l'autre le soin d'aller ouvrir. Wahab demeurait sur le palier sans oser sonner de nouveau pour ne pas soulever la colère de son père qu'il avait entendu lancer Que quelqu'un aille ouvrir, il est quatre heures, ce doit être Wahab ! Les mains dans les poches, il restait là à attendre.

Ces attentes quotidiennes lui avaient permis de faire connaissance avec la voisine de palier. Ils avaient commencé par se saluer, se présenter, Moi c'est Wahab, Moi c'est Judith, puis, au fil des jours, ils avaient échangé de brèves politesses sur le temps, l'école, les vacances.

— Allez-vous retourner dans votre pays pour l'été ?

— Non. C'est encore la guerre là-bas.

— Ça fait combien de temps maintenant que vous êtes ici ?

— Six ans.

Leurs discussions ne se prolongeaient jamais au-delà de ces considérations, mais elles étaient devenues un rituel auquel Wahab avait fini par s'attacher. Un soir, la jeune femme lui avait demandé Pourquoi es-tu là, chaque jour, devant la porte ? Il avait baissé la tête pour dire C'est pour mieux étudier puisque sur le palier, c'est un peu plus tranquille qu'à l'intérieur de l'appartement où je dois partager ma chambre et le bureau de travail avec mon frère et ma sœur. Faisant mine de le croire, elle lui avait souri avant de rentrer chez elle, et son sourire était demeuré suspendu au regard de Wahab, tache de lumière après avoir fixé le soleil. Ce soir-là, son cœur s'était mis à battre de manière différente.

La journée de ses quatorze ans se déroula sans heurts. Mais, au retour de l'école, il s'arrêta à deux reprises pour sortir la clé de son étui d'argent et la regarder. Des jeux d'enfant, pensa-t-il.

Arrivé sur le palier, il resta à écouter les bruits de l'appartement. Il ferma les yeux. Je compte jusqu'à cent quatre, à cent quatre j'ouvre la porte. Judith arriva à dix-neuf.

— Ça va, Wahab ?
— Oui ! Oui ! Je... m'en allais...
— Où vas-tu ?
— Me promener.
— Bonne promenade, Wahab.
— Au revoir, Judith.

Wahab reprit l'ascenseur. Il descendit jusqu'au rez-de-chaussée, sortit de l'immeuble et attendit un peu. Pourquoi je lui ai dit ça ? Il voulut remonter mais ne monta pas.

IL LONGEA LE FLEUVE et s'arrêta au pied d'une grande horloge. Elle dominait les quais, pâle dans la lumière du jour finissant. Il s'assit sur un banc. Les péniches glissaient vers le large et disparaissaient dans le brouillard du soir. Un homme s'approcha pour lui mendier une pièce de monnaie.

— Il me reste un sandwich de mon repas de midi.

Wahab ouvrit son cartable. L'homme s'assit. La tête levée vers le ciel, il se mit à manger. Entre chaque bouchée, il débitait des phrases dont le sens échappait en partie à Wahab.

— C'est pas parce que les gens disparaissent qu'ils sont morts. Mais en général, les gens croient n'importe quoi. Alors ils se mettent à raconter des histoires. Mais une chose est sûre. Quand on affirme qu'un tel a disparu, cela prouve qu'il a existé. Il n'y en a pas beaucoup qui peuvent se vanter d'avoir une pareille preuve de leur existence. C'est pas rien. Ça ne veut pas dire grand-chose lorsqu'il se met à pleuvoir, mais que les gens disent qu'un tel a disparu... au fond, c'est une opinion, un avis, parce que entre nous, qu'est-ce que c'est, « disparaître » ? Il paraît d'ailleurs qu'un magasin de bonbons vient de fermer dans le nord de la ville et que le lendemain trois enfants sont tombés malades, et deux d'entre eux sont partis en cavale. On les a retrouvés quelques heures plus tard du côté de la banlieue sud. Ils avaient un sac de provisions et affirmaient vouloir se rendre à Vladivostok. Bon Dieu... Vladivostok ! Ils ne devaient pas savoir où ça se trouve... Ils ont dû être séduits par la sonorité du mot. Vladivostok. Ça, ils ne l'oublieront pas. Mais c'est encore des histoires. J'ai pas d'avis là-dessus. Je préfère traîner dans les rues. Aller à la conquête des mots. Mésopotamie. Crème. Guingois. J'aime le mot pervenche... il me semble impossible de ne pas aimer le mot pervenche.

— C'est vrai... C'est un joli mot...

— Si tu veux, je te le donne. Tu le veux ? Je te le donne !

L'horloge sonna le quart de dix-huit heures.

Wahab se leva et rentra d'un pas rapide.

Il contemplait la clé dans sa main ouverte. Plus besoin de sonner, plus besoin d'attendre. Je ne croiserai plus Judith. Il entendit sa mère s'inquiéter pour de bon. Où est donc Wahab ? Et pourquoi est-il en retard ? Il ravala ses larmes, essuya ses yeux, glissa la clé dans la serrure et ouvrit la porte de l'appartement.

Il y avait, en face de l'entrée, un long et large couloir couvert d'une moquette rouge qu'on avait dû poser au cours de la journée. Il la trouva laide, avec des plis, des bosses et des joints. Le travail de finition laissait à désirer. Au bout du couloir, il vit passer une jeune femme. On doit avoir de la visite... C'est bizarre... je n'entends personne parler... Pas de conversation, rien... Ça doit être la personne chargée de poser la moquette. Son père, travaillant pour son compte à la maison où il avait son bureau, devait être dans le salon; la télévision allumée témoignait de sa présence. Dans la cuisine, quelqu'un rinçait des assiettes. Il ôta son manteau. La femme repassa au bout du couloir.

— Wahab, tu rappelleras tante Mathilde et tu la remercieras pour cette jolie carte qu'elle t'a envoyée à l'occasion de ton anniversaire. Fais-le, sinon maman va se fâcher.

Elle lui sourit puis retourna vers la salle à manger. Sur une petite commode brune, une enveloppe était posée là, ouverte sans doute par sa mère. Laisse-moi vérifier, disait-elle à chaque lettre, on n'est jamais assez prudent, il y a des gens vicieux partout ! Il retira une carte blanche où il put lire en lettres claires : Pour un joyeux anniversaire. Un peu plus bas, on avait ajouté à la main : Que cette année soit conforme à tes plus chers souhaits et à tous ceux que ta maman a pour toi. Ta tante M. qui t'aime.

Wahab connaissait avec précision les noms et prénoms de chacun de ses oncles et de chacune de ses tantes. Il y avait, du côté de sa mère, tante Marie, tante Hilda, tante Hoda, oncle Farid et oncle Émile; du côté de son père, il y avait tante Mireille, tante Nazha, tante Laure, oncle Antoine, oncle Nazih et oncle François. Wahab se souvenait de tout cela, des noms de ses deux grands-pères, de ceux de ses deux grands-mères, il se souvenait des noms de ses arrière-grands-parents et, avec un petit effort, il pouvait retrouver les noms de ses trisaïeuls dont l'un, se prénommant Soulaymâân, avait fait un pèlerinage allant des hautes montagnes jusqu'au sud du pays, à l'endroit où la mer se déchire contre les récifs. Ôtant ses vêtements, il s'était couché, avait avalé l'eau de la mer, puis avait hurlé sa prière : «Dieu. Voilà huit enfants que tu m'envoies par ta grâce. Mon bonheur est immense, mais un malheur gronde : huit enfants, huit filles ! Donne-moi un fils et toute ma descendance ne portera plus le nom de Soulaymâân, mais celui, très saint, très sacré, de Moutabbi, qui signifie : l'exaucé.» Loin de la mer mais au milieu du couloir, Wahab ressentit la fierté avec laquelle son père faisait le récit de Soulaymâân, il entendit les effets de voix dont il usait pour terminer son histoire, proclamant la dernière phrase, sacrée entre toutes : «Et le vœu de Soulaymâân se réalisa, car Dieu en eut pitié et pitié de mon grand-père, de mon père et de moi, et pitié de toi, Wahab, puisque la vie te fut donnée. Voilà pourquoi aujourd'hui tu portes le nom de Moutabbi, tout comme moi, tout comme mon père Tanious, mon grand-père

Fahd et tout comme les enfants et les enfants de tes enfants porteront aussi ce nom. » En vérité, Wahab était en mesure d'énumérer les noms et prénoms des tantes, oncles, cousins et cousines de son père et de sa mère, des neveux et nièces dont la naissance venait agrandir le cercle de la famille. Mais Mathilde... Mathilde... Mathilde... Wahab eut beau chercher, il eut beau regarder la calligraphie sans âge inscrite sur le papier, il ne parvenait pas à se rappeler la moindre Mathilde; chaque visage lui revenait en mémoire, s'associant à un nom, un prénom, un âge, un sentiment, mais « Mathilde » demeurait blanc, vierge, sans visage précis, né de ce qu'évoquait en lui la sonorité de « Mathilde », c'est-à-dire un visage d'une tendresse inouïe auquel venaient s'associer des paysages où la lumière du ciel se déchire en des géométries si complexes, en des acrobaties si vertigineuses que cela ne pouvait en aucun cas être un pays qu'il ait déjà connu, ou alors en une vie antérieure, ce qui lui semblait peu probable.

Il glissa la carte au fond de la poche de son pantalon.

Il avança et arriva, sur sa droite, à la hauteur de la cuisine. Une fenêtre à barreaux découpait en contre-jour la silhouette d'une femme penchée au-dessus de l'évier. Qui est-ce? se demanda Wahab. Il pénétra dans la pièce et alla s'asseoir sur le petit tabouret où il s'asseyait lorsque sa mère voulait lui parler. La femme savonnait les assiettes. Elle ne se retourna pas. Sans doute ne l'avait-elle pas entendu entrer à cause du bruit de l'eau. Il attendit.

Lorsque l'évier fut propre, la femme referma le robinet et se tourna pour s'essuyer les mains.

— Te voilà, toi ! hurla-t-elle. Tu étais où ? Est-ce que je peux savoir ? Tu devrais être rentré depuis une heure ! On t'a pas donné une clé pour te permettre d'en faire à ta tête ! Tu as compris ? Tu es un petit garçon et je suis, moi, ta mère, responsable de toi !

C'était une petite femme, maigre, pâle, voûtée, avec une longue chevelure blonde descendant jusqu'au milieu du dos. Wahab la contemplait les yeux grands ouverts. Je n'ai jamais vu cette femme de ma vie ! Ce n'est pas ma mère !

À travers la fenêtre entrebâillée de la cuisine, on entendait quelqu'un s'exercer au piano... Même mélodie, mêmes erreurs, mêmes fausses notes.

— Pourquoi es-tu en retard ? Réponds !

Wahab ferma les yeux. Il aurait voulu faire le récit de sa rencontre avec l'homme à la pervenche. Sa mère aurait ri à tant de divagations : Il t'a donné le mot pervenche et tu l'as accepté sans négocier ? Oui, maman, c'est beau, pervenche... ça chante... Mais il y en a d'autres, Wahab ! Si j'avais été à ta place, je lui aurais demandé de m'offrir le mot sieste, ou promenade.

Ils se seraient amusés à trouver les mots justes de leur bonheur, les défendre, les justifier, les inventer. Il préféra mentir. Il ouvrit les yeux.

— Des amis m'ont souhaité un joyeux anniversaire après l'école, ils m'ont fait une surprise... j'ai été retardé.

— Tu aurais dû appeler pour avertir ! Tu sais que je m'inquiète !

— Oui.

— Et cette voisine ! Voilà une heure qu'elle martèle sur son piano ! Trois heures par jour tous les jours, cela devient insupportable ! J'en ai assez, assez, assez ! Je vais me plaindre au propriétaire ! Je vais finir par appeler la police !

Elle poursuivit ses lamentations à l'aide d'un torchon dont elle se servait pour donner de grands coups sur le comptoir de la cuisine. Elle prenait des postures grotesques, relevant ses jupes pour mieux se baisser et frotter entre le four et le réfrigérateur. S'acharnant contre des taches de graisse inaccessibles, elle ahanait, s'enrageait et faisait de brusques mouvements de tête pour rejeter ses cheveux en arrière. Wahab n'osait pas bouger. Il l'observait. Il la vit se relever, grimper sur un petit escabeau et nettoyer le mur dont la peinture s'écaillait à chacune des attaques du torchon.

— Tu as faim ?

— Non ! Ça va.

Elle arrêta son mouvement de va-et-vient.

— Ce n'est pas possible ! Tu dois avoir faim !

— Non, merci, je n'ai pas faim. Je n'ai pas faim...

— Qu'est-ce que tu as mangé pour ne pas avoir faim ? Réponds ! Qu'est-ce que tu as mangé ? Où as-tu trouvé l'argent ? Tu l'as encore pris dans mon porte-monnaie, c'est ça ?

— Mais non ! Je n'ai juste pas faim ! C'est tout !

— Voilà trois semaines que tu ne termines pas ton repas de midi.

— Je l'ai terminé aujourd'hui.

— Alors pourquoi tu n'as pas faim ? Va chercher une assiette, tu vas manger. Je ne cuisine pas pour les animaux, moi !

Le piano poursuivait ses arpèges. Dehors, l'obscurité du soir avait allumé les lumières de la ville. Sans plus rien dire, Wahab se vit servir une assiette débordant d'un mélange de fèves rouges et d'épinards, avec un demi-pain et une orange pour la fin du repas.

— Tu avales tout, jusqu'à la dernière bouchée, l'orange comprise.

Putain, pensa-t-il.

Découragé, il décida d'aller s'installer à la table de la salle à manger. Il y retrouva la femme du couloir assise sur une chaise, proche de la fenêtre entrouverte. Entre les doigts elle tenait une épingle et, la tête baissée, elle travaillait à une dentelle.

— Tu as vu, Wahab ? J'ai progressé depuis hier !

— Je n'en sais rien.

— J'espère finir bientôt. C'est que, vois-tu, j'ai trouvé la façon de tenir l'épingle. Tout ça est d'une grande complexité.

Wahab se mit à table. Il regarda vers le salon. Tout avait changé. Le petit meuble où l'on rangeait les bouteilles d'alcool avait été reculé jusqu'au mur. Au-dessus de la cheminée, une peinture aux couleurs sombres avait remplacé le grand miroir, les plantes avaient été enlevées, deux lampes avec des abat-jour de tissu avaient été ajoutées, le sofa faisait face à la fenêtre et la télévision, ayant pris la place du sofa, n'était plus visible depuis la salle à manger. Wahab ne voyait que les cheveux noirs de son père dépasser du fauteuil.

— Bonsoir, papa.

— Bonsoir, mon fils. Ne me dérange pas, je regarde la télévision !

Il n'avait pas achevé la moitié de son assiette. Il se forçait à avaler. Il commençait à avoir chaud. Wahab se tourna vers la femme penchée sur sa broderie. Qui est-elle ? Est-ce que c'est ma sœur ? Wahab ne pouvait pas tout à fait dire oui, mais le contraire aurait été surprenant. Si cette femme n'est pas ma sœur, si l'autre, dans la cuisine, n'est pas ma mère, alors tout serait bouleversé dans la logique des choses : on laisserait une invitée seule à broder pendant que mon père, le chef de la famille, serait là, à regarder la télévision ? Et ma mère, censée s'occuper d'un mari et de trois enfants, où est-elle passée ? Que se passe-t-il ?

Wahab mangeait sans y penser. Appuyé sur son coude, il avalait une bouchée de temps à autre, après avoir joué avec la nourriture, la faisant tourner et retourner autour de sa fourchette. À la télévision on annonçait un record de froid, le thermomètre allait dégringoler jusqu'à moins dix degrés. On attendait même de la neige.

— Allez ! Mange ! lui lança la jeune femme.

— Mais je n'ai pas faim...

— Cesse de pleurnicher, Wahab.

La femme avait délaissé sa dentelle et s'était rapprochée pour s'asseoir en face de lui. Ce n'est pas ma sœur. Elle se mit à raconter certaines anecdotes remontant aux jeunes années de Wahab.

— Un jour, maman t'avait refusé une promenade et, pour te venger, tu as pissé sur le tapis du salon !

Il la regarda sans sourciller. Pourquoi est-ce qu'elle me raconte ces conneries ? pensa-t-il. Il avala sa dernière bouchée puis s'empara de l'orange.

— Allez ! Fais pas cette tête, Wahab ! Tu vas voir, une orange, ça fait digérer !

— Peut-être, mais j'en ai marre de bouffer !

— Tant d'enfants meurent de faim.

— Je les envie parfois, je te jure !

— Tu es bête !

— Où est ma mère ?

— Dans la cuisine ! Ce n'est pas elle qui t'a servi ?

— Oui, oui...

— Alors ? On n'habite pas dans un château... Elle doit encore y être.

— Je parlais de la mienne.

— Qu'est-ce que tu veux dire ?

— Je veux dire que la bonne femme dans la cuisine, c'est ta mère. Je veux savoir où est ma mère à moi.

— Mais si ma mère à moi est dans la cuisine, ça veut dire que ta mère à toi est dans la cuisine, puisque ma mère et ta mère c'est la même mère, crétin.

— Vous n'avez pas un peu fini, tous les deux, je veux écouter la télévision !

C'était la voix du père. Lui, au moins, il est là et pourra me renseigner. Wahab se dépêcha de terminer son orange. À l'instant où il quittait la salle à manger, il fut rappelé par la femme à la dentelle.

— Va porter ton assiette à la cuisine, Wahab, sinon maman va être furieuse.

À la télévision, les informations venaient de prendre fin. Il y eut une pause publicitaire. Le père se leva et se rendit aux toilettes.

Dans la cuisine, la femme à la longue chevelure blonde dînait, assise à la petite table, son tablier sur ses genoux. Wahab posa son assiette dans l'évier.

— Tu as tout mangé ?

— Oui.

— Tu t'es lavé les mains ?

— Non. J'y vais.

— Lave-les ici et puis assieds-toi, je veux te parler.

Elle continua à manger. Le piano entre-temps n'avait pas cessé son martèlement. Lorsqu'il eut essuyé ses mains, elle voulut les sentir et lui demanda de les laver à nouveau. « En frottant cette fois-ci, s'il te plaît, prends le gros savon, il est plus propre ! »

Il s'installa sur le petit tabouret pour lui faire face. Cette longue chevelure blonde n'aurait pas pu sortir de ma mémoire si je l'avais vue. Peut-être que c'est une perruque... mais pour quelle raison ma mère porterait une perruque dans la cuisine, le soir, au moment de faire la vaisselle ?

— Sais-tu qui a appelé cet après-midi, Wahab ?

— Non.

— Ton professeur.

— Monsieur Guettier ?

— Oui.

— Qu'est-ce qu'il voulait ?

— Il voulait me parler. Me prévenir.

— Te prévenir ?

— Oui. Me prévenir. Me prévenir contre toi. Il m'avait signalé, il y a de cela deux semaines, ta paresse ; et aujourd'hui il m'a dit qu'à moins d'un effort prodigieux de ta part, tu allais redoubler ta classe.

— Monsieur Guettier...

— Écoute-moi, Wahab ! Je suis ta mère et je suis responsable de toi, c'est vrai. Seulement, je ne sais plus ce que je dois faire. À partir de maintenant, j'ai décidé d'arrêter de m'inquiéter à ton sujet. Tu fais ce que tu veux, tu mènes ta vie à ta guise, si tu ne veux pas réussir, ça te regarde, mais je veux que tu sois à l'heure pour les repas du soir, tu as compris ? Je veux pouvoir faire la vaisselle une bonne fois pour toutes. C'est tout ce que j'ai à te dire. Tu devrais prendre exemple sur Nidal. C'est ton grand frère, il aurait le droit de faire plus de choses que toi, il pourrait exiger de moi plus de liberté. Il ne le fait pas parce que ce n'est pas un égoïste. Il arrive à l'heure, tous ses professeurs sont très fiers de lui, il fait tout pour me faire plaisir, pour m'éviter le moindre souci... tandis que toi... Tu es pire que la guerre...

— Nidal n'est pas là ?

— Non. Nous sommes mercredi. Il est parti à son groupe de prière.

Elle se leva et se traîna jusqu'à l'évier. En voilà une histoire farfelue ! Nidal, mon frère, va dans un groupe de prière !

— Vas-tu écrire un petit mot à tante Mathilde pour la remercier de la gentille lettre qu'elle t'a envoyée ?

— Mais qui est tante Mathilde ?

— Quoi, « qui est tante Mathilde » ? Qu'est-ce que tu veux dire par « qui est tante Mathilde » ?

— Non ! Non ! Je ne connais pas son adresse. J'aimerais lui écrire, mais je ne connais pas son adresse.

— Je te la donnerai demain. Va te coucher ! Ce soir tu ne regarderas pas ton émission favorite.

Wahab quitta la cuisine. De quelle émission « favorite » elle me parle, celle-là ? J'ai pas d'émission favorite ! Je ne regarde jamais la télé en semaine sauf à l'occasion d'un match de foot. Et ce soir, il n'y a pas de match de foot. S'il y avait un match de foot, je le saurais. Je sais toujours quand il y a un match de foot. Merde. Ces gens doivent me prendre pour un autre. Je suis le sosie d'un garçon de mon âge s'appelant Wahab. Je suis entré dans le mauvais immeuble par erreur, et par la plus extraordinaire des coïncidences, la clé reçue ce matin en cadeau ouvre la porte de l'appartement de ces gens. C'est ça. Ça doit être ça. Ça ne peut être que ça.

Certains détails, telle l'absolue propreté de l'appartement, les cadres accrochés aux murs et le miroir brisé de l'entrée, vinrent lui confirmer qu'il ne s'était pas égaré. Il était chez lui. Arrivé à la hauteur du salon, Wahab vit son père, revenu des toilettes, les yeux rivés vers le petit écran. Ouf ! pensa-t-il, c'est lui.

— Bonne nuit, papa.

— Ha ! C'est toi, Wahab ! Attends un instant... je... attends...

À la télévision la situation du héros était trop critique pour permettre la moindre inattention : des motards à l'allure menaçante l'entouraient, lui voulant sans doute beaucoup de mal. Il pleuvait. La ruelle ruisselait. Il allait être massacré s'il n'agissait pas à l'instant. Le père retenait son souffle, le héros s'empara d'une barre de fer, les motos grondaient, Wahab attendait. Une bataille éclata, le sang gicla, le père souriait, le héros grimaçait. La lutte était âpre et se termina par une pause publicitaire. Le père se réinstalla dans son fauteuil. Il alluma une cigarette.

— Ta mère m'a dit que tu avais des problèmes à l'école...

— Oui... je...

— Tu sais, Wahab, l'école, c'est important ! C'est très important ! Tu es assez grand pour comprendre... Je ne te ferai pas un long discours, mais sache que moi, ton père, je suis là pour t'aider ; si quelque chose t'empêche de te concentrer en classe, tu peux me le dire, on essayera d'y remédier. Qu'est-ce que tu en penses ?

— D'abord : oui ! Tu es mon père, je te reconnais... Ça c'est un point de départ...

La bataille avait été meurtrière. On aurait pu le croire mort. Il s'en était tiré avec une égratignure à l'épaule gauche. On le retrouva sur un voilier, poursuivant le chef des motards. La cigarette se consumait. La cendre tombait sur la moquette ; Wahab le signala à son père et le père ne broncha pas.

— En fait, papa, j'aimerais te poser une question...

Il y eut une série d'explosions. Les deux ennemis se retrouvèrent l'un en face de l'autre, en équilibre sur un radeau fragile. La mer grondait autour d'eux. Ils en étaient arrivés à cet instant où tout allait se jouer. Le chef des motards tenait un couteau ensanglanté à la main et arborait une expression hideuse.

— Tu as eu tort, McGallaghan, de t'en prendre à moi, hurla-t-il pour couvrir le vacarme des eaux.

— Tu ne me fais pas peur, Fernando Mouliganno, répondit le héros.

— Regarde-moi, McGallaghan, parce que mon visage sera la dernière chose que tu verras sur cette terre !

Il leur fut impossible d'aller plus loin. Une pause publicitaire vint mettre fin à leur dialogue.

— Alors, Wahab ? Qu'est-ce qui te tracasse ?

— Ce n'est pas que ça me tracasse, mais si tu pouvais m'éclairer, ça pourrait sans doute aider les choses.

— Qu'est-ce que c'est, Wahab ? Parle, je vais te répondre avec mon expérience.

— Peux-tu me dire qui sont ces gens ?

— Quels gens ?

— Ceux-là ! Celle-là, par exemple, assise près de la fenêtre... Regarde-la ! Elle travaille sa broderie à s'en décrocher les paupières.

— Et puis ?

— Tu la connais ?

— C'est ta sœur, bougre d'imbécile, qui veux-tu que cela soit ?

— Et la moquette ?

— Quoi, la moquette ?

— Ben oui, quoi... la moquette... c'est définitif ?

— Mais de quoi tu parles ?

Le chef des motards se jeta sur le héros. Wahab décida d'aller se coucher. Je dois être fatigué, c'est tout. Il entendit la femme à la longue chevelure blonde l'appeler de la cuisine. Qu'est-ce que j'ai fait encore ?

— Wahab ! Wahab, tu vas aller dire à cette connasse que si elle n'arrête pas son pianotage, j'appelle la police. Va ! C'est la voisine d'à côté.

Wahab fut soulagé de retrouver le palier. Il sonna à la porte de Judith. Pourquoi je me sens si triste ? Il plongea la main dans l'eau obscure de son esprit. Un mot y était enfoui et tentait de s'échapper. Il l'effleura une première fois, faillit le perdre, mais par un dernier effort de volonté, il le rattrapa et le ramena à la surface de sa raison. Un mot. Un mot trempé, méchant, violent... Un mot. « Connasse ». C'était ça. L'injure associée à Judith l'avait blessé. Judith est si gentille, pensa-t-il, si gentille. Le piano jouait encore. Elle n'avait pas dû l'entendre. Il sonna de nouveau. Aussitôt le silence. Il écouta. Elle approchait. Le plancher résonnait. Un battement de cœur sous le bruit de ses pas. Elle s'arrêta. Tira le verrou. La porte s'ouvrit. En revoyant son sourire, Wahab retrouva le calme.

— Wahab ! Ça me fait plaisir... Entre !
— Non, non ! Je ne veux pas vous déranger !
— Tu ne me déranges pas ! Entre un instant.

Judith l'emmena jusqu'au salon où elle le fit asseoir.

— Veux-tu boire quelque chose ?
— Non merci.

— Un verre d'eau ?

— Un verre d'eau.

Elle repartit vers la cuisine.

Des plantes vertes étaient disposées aux quatre coins de la pièce. Un chat noir somnolait dans un fauteuil et, au milieu du salon, sous un puits de lumière par où la lune glissait, il y avait le piano. L'appartement de Judith était symétrique au sien, mais cela n'était pas suffisant pour expliquer quoi que ce soit. Ma mère n'est pas un appartement, pensa Wahab. Cette femme à la longue chevelure blonde n'a rien à voir avec elle.

Judith lui donna le verre d'eau et s'assit en face de lui, sur le banc du piano. Le chat s'avança. D'un mouvement, il sauta sur les genoux de sa maîtresse et, recherchant les caresses, il s'y installa, roulé en boule. Wahab but une gorgée puis déposa le verre sur une table basse. Sans préambule, sans regarder Judith, il expliqua la raison de sa visite, invoquant la maladie dont souffrait sa mère.

— Elle doit rester au lit tout le temps, elle ne peut pas bouger... dans le sommeil elle arrive à se reposer... sinon c'est la douleur... Alors, sans lui dire, je suis venu vous demander s'il était possible de... Je ne veux pas vous ennuyer, mais si vous pouviez jouer moins fort au piano, ça pourrait aider ma mère à se reposer...

— Mais pourquoi tu ne m'en as pas parlé avant ?

— Ma mère ne veut surtout pas vous déranger... elle vous apprécie...

— Écoute : dis-lui que je ne jouerai plus qu'une demi-heure par jour et en sourdine.

— Mais non...

— Et puis tu lui présenteras mes excuses, d'accord ?

— D'accord...

— Je ne savais pas que ta mère était malade...

— Oui... C'est nouveau...

— C'est grave ?

— J'en sais rien.

Il allait pleurer. Il ferma les yeux.

Je voudrais être au bord de la mer. Là, tout redeviendrait normal. Les choses retrouveraient leur ordre premier. Marcher sur la plage. Qu'il pleuve, qu'il vente, qu'il fasse mauvais. Que jamais le soleil ne montre le bout de son nez. Je m'en fous. Au pied des vagues, je saurais trouver les mots pour tout raconter. Je dirais à Judith je t'aime, je vous aime. Je n'aurais pas peur du ridicule, peur de ne plus la reconnaître. Ses traits sont trop fins, trop réguliers, trop doux pour que je puisse les oublier. Il sursauta et ouvrit les yeux.

— À quoi tu pensais, Wahab ?

— À rien. Il est beau, votre chat.

— C'est une chatte.

— Quel est son nom ?

— Pétra. Elle a dix ans. C'est beaucoup pour un chat.

— Je ne sais pas.

— Ça correspond à soixante-dix ans de vie humaine.

— Judith, l'âge c'est quoi exactement ?

— L'âge ?

— Oui, l'âge.

Elle se tut. Wahab la regarda penser et c'était une fenêtre ouverte sur le ciel.

— L'âge ! Je ne sais pas... C'est une question surprenante et tu me la poses avec tant de sérieux... Qu'est-ce que c'est l'âge ? Je ne sais pas...

— Moi non plus. Je viens d'avoir quatorze ans et je ne m'attendais pas du tout à ce que ça voulait dire.

— Et qu'est-ce que ça veut dire ?

— La transformation.

— Quelle transformation ?

— Oui, la transformation, le changement... les autres... leur visage... la transformation...

Wahab prit le verre d'eau, le vida et le garda entre les mains. Il demeura silencieux, la tête basse, étourdi par cette proximité, par le corps de Judith dont il prenait conscience avec la fièvre de sa détresse, par les yeux de Judith dans lesquels il aurait voulu s'évanouir pour ne plus penser, et par son sourire... Il la regarda et se mit à trembler. Elle devine tout, pensa-t-il. Il déposa le verre et se leva.

— Je vais y aller.

— Mais non, reste un peu. Tu ne veux pas ?

— Oh si ! mais c'est que ma mère m'attend.

— Bon. Mais reviens. Demain ? D'accord ? Depuis le temps que l'on se croise sur le palier, on est devenus des copains.

— C'est vrai... des copains...

— On mangera ensemble, ça reposera ta mère, elle n'aura pas besoin de te préparer à manger...

— Oui... c'est une bonne idée...

De nouveau sur le palier, il sonna à la porte de chez lui. Quel mensonge ! Ma mère malade ! Si Judith la croise ? De toute façon, elle ne la reconnaîtra pas. Elle la prendra pour une amie en visite. Moi-même je ne la reconnais pas ! De toute façon... Qu'est-ce que je m'en fous... Copains. Elle a dit le mot « copains »... Pour me prévenir... Ça va... j'ai compris... Pas besoin de me faire un dessin... De toute façon... Ça doit l'amuser de me voir amoureux d'elle... Elle doit trouver ça... gentil. Et puis merde ! Si je m'en allais ? Si je foutais le camp ? Je n'ai qu'à ouvrir la porte de l'ascenseur, sortir de l'immeuble et puis marcher, marcher, j'irai tout d'abord dormir sous un pont ; les premiers mois je trouverai ça pénible, mais petit à petit je m'habituerai à cette situation, on connaît des exemples nobles de ce genre. Le mendiant à la pervenche ! Il s'en tire... La porte de l'appartement s'ouvrit et la femme à la longue chevelure blonde apparut dans la pénombre du couloir.

— Pourquoi as-tu sonné ?

— Mais pour que l'on m'ouvre !

— Qu'as-tu fait de ta clé ?

— C'est vrai. La clé. Je ne m'y suis pas habitué.

— Entre ! Je ne sais pas ce que je vais faire de toi. Je n'étais pas d'accord pour la clé de l'appartement ! Pourquoi ? ai-je dit. Il y a toujours quelqu'un lorsque tu rentres de l'école et tu ne restes jamais seul à la maison ! Mais ton frère a insisté.

— Nidal n'est pas arrivé ?

— Non, mais cela ne tardera plus. Maintenant va te coucher.

Passant devant le salon, il regarda vers la télévision. Il vit une boule blanche sur laquelle le chiffre quatorze était marqué. La voix d'un annonceur parlait d'un gros lot de plusieurs millions et le numéro quatorze semblait être nécessaire pour empocher tout cet argent. Ça doit appartenir à l'âge, pensa Wahab. La journée de mes huit ans n'a pas été différente de la journée qui l'a précédée ni de celle qui l'a suivie. À quatorze ans, les choses se mettent à changer, les perceptions évoluent, nous commençons à voir le monde tel qu'il est. Ça doit être ça.

Il se brossa les dents, se rinça la bouche. Refermant le robinet, un événement étrange survenu il y a plusieurs années lui revint en mémoire. C'était à la montagne, dans leur grande maison de pierre. Il devait avoir sept ans.

Un voisin, dont il ne revoit le visage qu'avec difficulté, l'avait porté dans ses bras pour le coucher. Il le mena tout d'abord le long des corridors de pierre, puis à travers la salle à manger, le salon et la cuisine. Ils gravirent un escalier, longèrent d'autres corridors, s'arrêtèrent devant la fenêtre pour regarder la neige tomber sur le jardin potager de son père, puis s'enfoncèrent dans la profondeur d'un trajet le menant chaque soir vers le sommeil, sinon vers le rêve, mais avant cela vers l'éclat d'une lampe de plafond qu'une main adulte éteignait. Bonne nuit, Wahab, fais de beaux rêves. La porte se refermait et le noir surgissait, livrant Wahab à lui-même face à la peur de ce qui se cache dans une chambre d'enfant lorsque l'enfant est seul : sorcières, démons, enfer, saints et autres fantômes; il ne pouvait pas imaginer la terreur qu'il éprouverait s'ils venaient à lui apparaître. Or, parmi toutes ces apparitions, Wahab était surtout hanté par celle de cette femme aux membres de bois à laquelle il venait de rêver la nuit passée. Déjà elle décimait ses rêves et menaçait les assises mêmes de son être. Le voisin l'avait déposé dans son lit et l'avait abandonné à sa solitude. Wahab ferma les yeux, mais la peur était violente dans les ténèbres intérieures de son corps, alors il les rouvrit. Là, à sa plus grande surprise, au lieu de la silhouette menaçante de la femme aux membres de bois, il faisait jour. La chambre était inondée de lumière; le lit de son frère, à côté du sien, était défait et dans la maison flottait une odeur de pain chaud et de thym cuit. Son père parlait fort avec un autre voisin et, de son lit à barreaux, à travers la fenêtre aux volets grands ouverts, il avait vu sa mère le saluer depuis le jardin. Jamais une nuit n'avait passé si vite; jamais il ne s'était à ce point oublié, à ce point abandonné à la douceur de la nuit, à ses voyages chloroformisants, abandonné à ce lieu où ni la peur ni le temps n'avaient accès. Cela n'était ni l'oubli, ni l'évanouissement, ni même le sommeil profond, cela était le bonheur.

— Que fais-tu là, Wahab ? Je ne t'avais pas dit d'aller te coucher ?

— Oui, oui, mais je me brossais les dents.

— Tu as fini ?

— Oui.

— Va dormir.

— Oui.

— Oui qui ? oui quoi ? oui mon chien ?

— Oui, maman.

— Allez ! Va ! Tu ne me plais pas aujourd'hui. Et si je suis furieuse contre toi, c'est parce que tu le mérites !

Dans la chambre, où il dormait avec son frère et sa sœur, on avait procédé, là aussi, à un certain réaménagement. Le bureau où il faisait ses devoirs n'existait plus. Les trois lits avaient été déplacés et le papier peint recouvrant le mur, enlevé. Il n'y avait plus de tapis, et des rideaux avaient remplacé les stores verticaux pourtant neufs de la fenêtre ; celle-ci n'avait pas bougé, peut-être s'était-elle déplacée vers la gauche, mais Wahab ne pouvait plus jurer de rien. Il regarda à travers. Elle donnait toujours sur la cour intérieure. Et je dois dormir où, moi ? Deux des trois lits avaient été collés contre un mur ; l'un sur son côté droit, le deuxième, au mur opposé, sur son côté gauche. Le troisième se trouvait au centre. Il décida de coucher dans celui du milieu. Il se déshabilla pour enfiler un pyjama dont la taille semblait lui convenir, se glissa sous les couvertures et ferma les yeux. Une phrase lui traversa l'esprit : Comment le jour peut-il encore sortir de la nuit ?

Il fit des rêves agités au bout desquels il se réveilla. La maison était assoupie. Lumières éteintes. De chaque côté de lui, son frère et sa sœur dormaient blottis contre leur mur respectif. Il avait soif et voulut aller boire. Il se leva. Avant de quitter la chambre, il observa le visage de son frère. Penché vers lui, il reconnut d'abord son haleine, mais fut incapable de percer la grande obscurité pour identifier le dormeur.

Il s'arrêta devant la chambre de ses parents. La fenêtre entrouverte laissait passer le vent, écartant les pans des rideaux par où la lune glissait jusqu'à la chevelure blonde de cette femme qui se disait sa mère.

Le long couloir menant des chambres à la cuisine n'avait jamais effrayé Wahab, malgré le miroir brisé et la porte de bois lustré brillant tout au fond comme une luette. Même en cette nuit, l'une des plus profondes de l'hiver, où il aurait pu avoir peur puisque la femme aux membres de bois était remontée à la surface de sa mémoire, Wahab garda son calme. Sa soif était grande. Il avançait avec confiance. Mais à l'instant où il eut à pénétrer dans la cuisine, où, arrivé à son embouchure, il eut à tourner à gauche, une voix hurla en lui : Elle est là et elle t'attend ! Il plaqua une main contre le mur, chercha en tâtonnant l'interrupteur, le trouva, appuya. La blancheur de la cuisine éclata dans ses yeux pétrifiés. La lumière sur ses rétines fit naître des formes et des mouvements, mosaïques de taches jaunes, rouges et brunâtres sur un fond tantôt clair, tantôt sombre, dont la globalité semblait tour à tour composer puis décomposer la silhouette de l'horrible femme. Elle se rapproche de moi, c'est sûr ! Son regard se brouilla, il fut sur le point de perdre connaissance, puis, au fil de sa respiration, les ténèbres se dissipèrent, laissant réapparaître les appareils ménagers de la cuisine, si rassurants dans leur paisible quotidienneté.

Une fois apaisé, désaltéré, il s'assit sur le comptoir pour contempler par la fenêtre la tombée de la neige. Je n'ai jamais vu le jour se lever ; la lumière doit être plus propre au matin. Les décisions doivent être plus faciles à prendre quand, marchant seul sur une route de campagne, le premier rayon du soleil vous accueille au détour d'un chemin ; la surprise doit aider le marcheur à poursuivre. Il oublie son envie de dormir et cette lumière nouvelle le conduira jusqu'à midi où, tout tremblant, il ira s'écrouler au pied d'un arbre ; au réveil, il se sentira à part, en marge, mélancolique, mais heureux de marcher en pleine nuit comme savent marcher les nomades des déserts. J'ai lu des tas de choses sur les nomades dans mon livre de géographie. Et de quelle manière je vais lui dire, moi, à ma mère, que demain je vais arriver en retard parce que Judith m'a invité à manger ? Elle n'acceptera jamais. Quel bordel ! Il posa le verre d'eau dans l'évier puis alla éteindre la lumière. Avant de quitter la cuisine, il se retourna, mû par un incroyable courage, et demeura dans le noir, les yeux grands ouverts. Il semblait inviter la femme aux membres de bois à se présenter devant lui. Et puis d'abord, tu me fais même pas peur ! Mais c'était le calme avant l'orage. Il le craignait.

SON PÈRE LE RÉVEILLA depuis le couloir de sa voix forte et bourrue. Debout, Wahab ! C'est l'heure ! Tu vas être en retard à l'école. Son frère dormait. La tête sous les couvertures, il se protégeait de la lumière. La femme à la dentelle, assise sur son lit, enfilait de gros bas de laine. Ce n'est pas ma sœur, putain, ce n'est pas ma sœur, je me souviens de ma sœur, elle est plus petite, plus jolie, avec des yeux très verts, elle a des cheveux bruns, puis ma sœur n'est pas grosse. Il s'habilla. À la cuisine, il retrouva la femme à la longue chevelure blonde. Rien ne s'était arrangé, rien ne s'était rétabli. Le jour n'était en effet pas parvenu à sortir de la nuit.

— Bois ton chocolat chaud, lui ordonna la femme.

Wahab s'assit sur son tabouret.

— Je vais mettre ton déjeuner dans ton cartable, tu ne l'oublieras pas.

— Non.

— Et tu descendras les poubelles avec toi.

— Oui.

— Et tu n'oublieras pas tes gants.

— Non.

— Il fait froid.

— Oui.

— Tu n'oublieras pas ta clé non plus.

— Oui, c'est vrai, j'ai la clé à présent.

— Et essaye de ne pas la perdre, ni le petit étui d'argent. Il a coûté cher.

Wahab déposa sa tasse dans l'évier. Pour faire bonne figure, il la savonna et la rinça.

— Ce soir, je vais être un peu en retard...

— Pourquoi, s'il te plaît ?

— Je vais rester pour la période d'étude.

— Qu'est-ce que c'est que ça, la période d'étude ?

— Une période de travail à la fin des cours. Monsieur Guettier la donne aux élèves en difficulté. Un genre de rattrapage.

— Et ça va se terminer vers quelle heure ?

— Sept heures.

— C'est la première fois que tu vas à cette période d'étude !

— Je vais tenter de ne pas redoubler.

Il se lava les mains et alla mettre son manteau. Son père, de l'autre côté du couloir, lui fit un signe amical de la main avant de regagner son bureau. La femme à la dentelle vint vers lui d'un pas pressé et, avec un large sourire, elle glissa dans la poche de son manteau une barre de chocolat.

— Tiens, prends. Je t'aime tant, mon petit frère ! Passe une bonne journée, et ne fais pas trop de bêtises ! Embrasse-moi !

Wahab l'embrassa et la vit disparaître dans la cuisine.

Son sac d'école sur le dos, le sac-poubelle dans la main, emmitouflé, ganté, la clé dans sa poche, Wahab sortit et referma la porte derrière lui.

Le temps était humide. Froid. Le ciel bas, la ville brumeuse. À plusieurs reprises, Wahab se retrouva perdu dans un nuage. Il se peut qu'à quatorze ans on ne reconnaisse plus les copains. Oui. Il se peut que je ne reconnaisse plus monsieur Guettier non plus; la classe peut avoir été transformée : je trouverai une salle sans pupitres. Je devrai m'asseoir à terre et parler de mes expériences personnelles comme on le fait en Amérique. Ou bien je devrai manger du riz toute la journée, comme en Asie. Et les copains, ils auront tous des visages différents, et il faudra que je fasse semblant de les reconnaître. Putain ! Pourquoi on m'a pas prévenu ? Mon frère devait savoir ! Il aurait pu me le dire, pourquoi il ne me l'a pas dit ? Patience. Je finirai par comprendre pourquoi ce secret ne doit pas être divulgué aux enfants. Est-il possible de leur faire comprendre ? Est-ce que j'aurais compris, moi ? Pas sûr. Pas sûr non plus que je vais aimer ça... passer mon temps à deviner les identités de tout le monde. Quelle affaire ! Wahab fut rassuré lorsqu'en route il reconnut Colin, un camarade de classe qu'il croisait chaque matin. Il marchait, regardant par terre, le chandail étiré par les sangles de son cartable.

— Salut, Colin ! T'en fais une gueule !

— Salut, mon vieux ! Je me suis fait engueuler ce matin ! Le savon que j'ai pris ! Je te raconte pas !

— Qu'est-ce que t'as foutu pour ?

— J'ai pendu mon chat !

— T'as pendu ton chat ?

— Ouais ! Mon chat. Mon gros chat. J'avais un gros chat et je l'ai pendu.

— Putain !

— Tu parles !

— Raconte !

Colin se laissa convaincre et, tout au long du chemin menant jusqu'à l'école, il décrivit en détail l'instant de la mort.

— Oui ! Je te jure ! Je lui avais passé la tête dans le nœud, j'ai laissé tomber, et couic !

— Couic ?

— Je te jure ! Ça a fait un bruit pas possible ! Puis il est mort et puis il est devenu tout gonflé et puis il a pissé et puis il a chié !

— Qu'est-ce que tu racontes ?

— Je te jure ! C'est tombé d'un coup ! En même temps !

— Il voulait se venger !

— Possible !

— Puis ?

— Puis rien. Je l'ai foutu dans la poubelle, au fond... Je l'ai coincé entre une bouteille de lait et les machins blancs dans lesquels on met les viandes achetées au magasin... On pouvait pas le voir... Puis ce matin, ça puait tellement dans la cuisine que ma mère a été voir, elle a fouillé, elle a trouvé le chat, et là, mon vieux, qu'est-ce que j'ai pris !

— Mais t'es con !

— Je savais pas, moi !

— Tu savais pas quoi ?

— Ben, que j'allais le pendre !

— Pourquoi tu l'as pendu alors ?

— J'ai commencé par lui tailler les moustaches pour voir ce que ça faisait. On m'a tellement raconté des trucs sur les moustaches des chats ! Je voulais voir. Il faisait pitié, putain ! Ça me faisait mal, moi, de le regarder traîner de la gueule, se cogner contre la chaise, baver, râler, cracher, et puis sauter, ça me faisait de la peine, moi, de le voir souffrir... J'ai accroché la corde à linge !

— Et tu l'as regardé mourir ?

— Ben oui, puis j'ai dû l'aider un peu parce que j'avais mal fait le nœud. Il a fallu que je l'étrangle.

Dans la cour de récréation où l'on avait formé les rangs, Wahab reconnut tout le monde. Les arbres n'avaient pas été abattus et n'avaient pas changé de forme. Monsieur Guettier était le même, et la classe identique à ce qu'elle avait toujours été, avec son plancher rouge, son tableau noir brisé et ses vieux pupitres. C'est logique, pensa Wahab, ce ne doit pas être à quatorze ans que les copains se transforment. Pourquoi tout doit arriver d'un coup ? La nature s'attaque d'abord à nos proches.

Nos parents. À dix-huit ans, je ne reconnaîtrai plus la pâtissière... ni la concierge de l'immeuble... Un jour, je ne reconnaîtrai plus Judith... Bon Dieu ! À quatorze ans, cette révolution extraordinaire commence. Avec le temps, on ressent de moins en moins le besoin de différencier les gens. C'est pour cela que les vieux meurent. Ils ne reconnaissent plus personne. Même ceux dont ils font la connaissance pour la première fois. En leur serrant la main, les vieux les ont oubliés, les visages se transforment sous leur regard et les vieux ne savent plus rien de personne. Ils se retrouvent seuls et meurent parce que ça ne vaut plus la peine. Voilà.

En classe, personne ne fit allusion à rien. Monsieur Guettier lui demanda comment s'était déroulé son anniversaire.

— Je suis très heureux de faire partie de ceux qui savent, monsieur.

— Parce que tu fais partie de ceux qui savent, maintenant ?

— Oui, monsieur Guettier, j'ai eu quatorze ans !

— Tu me dis ça avec une telle évidence !

— C'est que le changement a eu lieu !

— Si le changement a eu lieu...

La réponse et le sourire l'accompagnant mirent fin aux doutes de Wahab. Lui aussi, un soir il est rentré chez lui, il ne se doutait de rien, et toc : métamorphose. Quel choc tout de même !

Durant la matinée, il fut question de calcaire, d'argile et de massifs montagneux. Wahab n'écoutait pas, trop préoccupé par sa vie future, maintenant qu'il était seul au monde. Je n'ai plus qu'à partir. Oui, voilà. Partir, malgré les difficultés : l'argent, la destination, les lieux où dormir... Tout cela demandait une certaine organisation. À ses côtés, son voisin de pupitre l'observait du coin de l'œil :

— Ça va, Wahab ?

— Oui, pourquoi ?

— Tu n'as pas l'air bien !

— Tu trouves ?

— Oui, je trouve !

— Quel âge tu as, Séguier ?

— Treize ans.

— Alors tu ne peux pas comprendre.

— Connard !

— Lâche-moi.

La classe se poursuivit. Une carte du monde fut accrochée, recouvrant le tableau noir de part en part. Les couleurs étaient délavées par les ans ; le bleu des océans se confondait avec les lignes blanches dessinant les contours des continents. Le rouge des pays chauds se perdait dans le jaune des déserts, seules les zones vertes des grandes forêts parvenaient à contraster avec le reste. C'était une carte qui ne se souciait plus du monde tant elle prenait en compte des pays aujourd'hui disparus, des colonies oubliées et des frontières depuis longtemps effacées. Monsieur Guettier régnait en maître sur cet univers décalé. Avec sa baguette, il plongeait dans les couleurs dont il donnait une définition à ses élèves.

— Les arbres à feuilles caduques se développent dans les zones où il pleut régulièrement alors que les arbres des forêts de conifères se situent dans l'hémisphère Nord.

Un élève leva le doigt.

— Comment on fait pour reconnaître les arbres, monsieur Guettier ?

— Pour l'instant, ce n'est pas important de reconnaître les arbres.

Et le professeur poursuivit ses explications. Wahab n'était plus là. Il se vit marcher sur une route de lumière, entourée d'arbres immenses, des arbres aux feuilles rouges et jaunes. Il me faudra aller en Amérique du Nord, au mois d'octobre; c'est là, en cette période, que la couleur des arbres éclate et se métamorphose. J'irai, et je vivrai de ce que je pourrai tirer de mes mains; je ferai le ménage dans les boutiques des Juifs, voilà ! On raconte tant de choses à propos des Juifs ! Ils m'engageront dans leurs boutiques pour faire le ménage, je demanderai un lit et un bon repas pour salaire, le reste du temps j'irai me promener dans les grandes avenues; je me ferai accoster par des jeunes gens très violents, il me faudra me battre ! Il y aura des filles, plein de filles. Elles seront curieuses de connaître mon étrange trajet. Quoi ? diront-elles, vous si jeune et si seul sur les chemins du monde ? Mais vous êtes, monsieur Wahab, un grand aventurier ! Cela est séduisant, me diront-elles, et moi, je les écouterai en faisant mine de rien. Je fumerai une cigarette. La couleur de mes yeux sera profonde dans la lumière du soleil couchant ! Les filles, elles voudront me suivre, venir avec moi, il me faudra choisir l'une d'entre elles ! Ce sera terrible. Je prendrai celle qui semblera prête à me suivre le plus loin ! Elle aura des traits si fins, si réguliers, si doux... Le visage immobile. Je la reconnaîtrai sans cesse, et lorsque nous serons devenus très vieux, nos visages se confondront l'un dans l'autre, et personne ne pourra dire qui, d'elle ou de moi, est l'homme ou la femme.

À force d'effleurer sa conscience, le poids du silence arracha Wahab à ses fantasmes. Il l'en arracha de l'intérieur, sans changer ni la position ni la tension de son corps. Qu'est-ce qui se passe ? se demanda-t-il. Il avait abandonné trop longtemps le point du monde qu'il occupait pour le deviner. Pris en flagrant délit d'imagination, il n'avait plus de références. M'a-t-on vu rêver ? Ai-je parlé tout haut ? Le silence devenait brûlant. Wahab se redressa. Ses camarades le regardaient. Qu'est-ce qu'ils ont tous ? Monsieur Guettier avait quitté son estrade et le fixait. Ils ne me reconnaissent plus, songea-t-il. Ils ne me reconnaissent plus ! C'est ça ! Je dois avoir changé ! Ils ne me reconnaissent plus ! C'est horrible ! Horrible ! Wahab se leva en hurlant :

— Non ! Non ! C'est moi, c'est moi, regardez-moi, c'est moi ! Je suis Wahab et je n'ai pas changé, je suis le même ! Ne me renvoyez pas de l'école, monsieur Guettier, ne me renvoyez pas à la maison, je vais me faire engueuler par ces gens que je ne reconnais pas ! Je vous en supplie, gardez-moi avec vous, s'il vous plaît, monsieur, s'il vous plaît !

Il y eut un énorme éclat de rire, interrompu par une colère du professeur. Et je ne veux plus entendre personne parler, je ne veux plus entendre une respiration, est-ce que je suis clair ? Vous allez lire en silence le septième chapitre de votre livre de sciences naturelles à la page 256 sur la forêt tropicale pendant que je m'occupe de Wahab ! D'un geste, il lui fit signe de le suivre. Ils arrivèrent à la salle de bains. Wahab se rinça les yeux. Il regarda dans le miroir. Il se reconnut.

— De quoi as-tu eu peur, Wahab ? lui demanda le professeur.

— Je ne sais pas !

— Je t'avais posé une question pour te ramener sur terre ; je t'ai appelé trois fois ! À quoi pensais-tu ?

— À rien.

— On ne pense jamais à rien.

— Je ne sais pas alors.

— Aurais-tu peur de ta mère ?

Il ne répondit pas.

— Tu sais, Wahab, ce n'est pas par méchanceté qu'il m'arrive d'appeler les parents de certains élèves ; c'est parce que je m'en fais pour eux. Voilà tout. Je ne veux pas te voir redoubler ta classe, Wahab, je ne veux pas te voir abandonner l'école, je ne veux pas te voir traîner dans les rues, devenir un clochard, tu comprends ?

Wahab ne répondit pas. Pervenche, pensa-t-il. Il regarda l'intérieur de sa main ouverte et se mit à sangloter.

— Avoir quatorze ans ce n'est pas facile, Wahab, on n'est plus un enfant, on a de moins en moins d'excuses pour affronter la vie, à quatorze ans on est un homme. C'est dur de devenir un homme...

— Mais je m'en fous de devenir un homme, répondit Wahab, ce que je veux, c'est continuer à reconnaître les gens qui m'entourent, qu'ils ne deviennent plus pour moi des étrangers. Je veux qu'ils sachent toujours qui je suis, et je veux savoir toujours qui ils sont. Je ne veux pas faire semblant de reconnaître le monde autour de moi. Je ne veux pas faire cet effort. Je n'ai jamais eu à le faire. Je ne veux pas commencer, vous comprenez ? Devenir un homme ! Je m'en fous tellement, vous pouvez pas vous imaginer ! Moi, monsieur Guettier, je veux juste qu'on me dise pourquoi personne n'a pris le temps de me prévenir ; je veux qu'on m'explique comment je dois faire à partir d'aujourd'hui. Je ne sais plus où je suis, et je ne sais pas comment vous faites pour vivre avec ça, monsieur Guettier, comment le monde entier fait pour vivre avec ça, parce que moi, je ne me sens pas capable de continuer de cette façon toute ma vie. Personne ne m'a prévenu, personne ne m'a rien dit, personne n'a pris la peine de me demander si ça se passait bien, alors aujourd'hui je me sens un peu perdu, vous comprenez ?

La cloche sonna la récréation de dix heures quinze.

Il resta assis tout seul au pied d'un arbre. Colin vint lui demander s'il voulait jouer.

— J'ai pas envie.

— Tu es malade ?

— Non, non... c'est rien...

— Tu as l'air triste !

— Je suis un peu fatigué, c'est tout.

Colin n'insista pas et alla rejoindre ses camarades. Arrivé à l'autre extrémité de la cour de récréation, il se retourna et imita, grâce à une série de contorsions, la grimace du chat pendu.

La journée se poursuivit à l'ombre de la pluie. On avait oublié l'incident de la matinée, et lorsque la classe se termina, chacun rentra chez lui. Wahab et Colin s'arrêtèrent devant la station du métro aérien, là où leurs chemins se séparaient.

— Tu sais, à cause du chat, je pourrai pas regarder la télé pour au moins un mois, c'est sûr.

— J'imagine.

— Tu me raconteras la prochaine partie de foot ?

— Je te raconterai tout en détail.

Ils se serrèrent la main.

— Je te raconterai tout à une seule condition, Colin.

— Quoi ?

— Je voudrais que tu gardes un secret.

— Un secret ?

— Oui.

— Tu es amoureux et tu veux que j'aille lui demander si elle t'aime?

— Non.

— Quoi alors? Quel secret?

— Tu ne le diras à personne. Jamais.

— Je te le jure.

— Voilà. Je suis fou.

IL LONGEA LE BOULEVARD. Il traversa les rues transversales sans prêter attention aux feux rouges. Sa pensée errait d'une idée à l'autre, encombrant son esprit d'arbres à feuilles caduques, de chats pendus, de cartes géographiques aux couleurs délavées, et cette confusion le ramenait sans cesse à la peur de retrouver chez lui la femme à la longue chevelure blonde. Le sourire de Judith et la perspective de passer quelques heures avec elle parvenaient à lui redonner espoir. Il arriva devant l'immeuble où il habitait. Judith n'était peut-être pas sérieuse, hier, en m'invitant à souper... Une politesse... Une chose que l'on dit sans y penser... Pour la forme... Peut-être qu'elle a passé une mauvaise journée et qu'elle a envie de rester tranquille... Peut-être que ce serait préférable que je n'y aille pas ! D'un autre côté, si elle m'attend, elle s'inquiétera de ne pas me voir arriver. Elle ira sonner à la porte de chez moi, parlera avec la femme à la longue chevelure blonde, verra qu'elle n'est pas malade, l'autre pigera que je me suis foutu de sa gueule en lui parlant de la période d'étude et tout sera découvert. Vaudrait mieux y aller. Wahab se reprit à espérer. Un cadran, dans un bar-tabac, visible de la rue, indiquait seize heures dix. Judith sera là dans une demi-heure environ, elle voudra rester seule le temps de se changer, ranger ses affaires... Il vaudrait mieux arriver avec un peu de retard... Il vaudrait mieux.

Il décida de tuer le temps.

Il marcha jusqu'au fleuve. L'eau était verte. Elle coulait, flaque de verre troublée par le déclin du jour. Les arbres des quais s'y reflétaient. Le courant dansait avec eux, les faisant onduler avec une sensualité hypnotique, les faisant disparaître au gré de ses ombres et de ses vagues pour les ramener à la surface, les éclairer par une des dernières lueurs ambre de l'après-midi. Sur la rive, les arbres étaient figés dans la froideur de l'hiver. Aux yeux de Wahab, les reflets mouvants de leurs silhouettes aquatiques étaient plus attrayants. Il reprit son errance. Le ciel se couvrit. La dernière pureté du jour disparut. Wahab emprunta le vieux pont de pierre menant à la Vieille Ville. Lorsqu'il arriva sur la grand-place, une pluie glacée se mit à tomber. Mieux vaut ne pas être trempé, pensa-t-il. Il chercha un endroit pour se protéger. Le lieu était vaste. Aucun abri à proximité. Posant son cartable sur la tête, il courut s'abriter sous le porche de la cathédrale.

Monsieur Guettier doit me croire à la maison. Colin aussi. La femme à la longue chevelure blonde me croit en période d'étude avec monsieur

Guettier. Mon père s'en fout. Ma sœur m'aime. Mon frère... je ne sais plus s'il est mon frère. Seuls ces passants me savent ici. Ils m'ont oublié. Ils ne pensent plus à moi.

Wahab imagina la réaction de la femme à la longue chevelure blonde, sa mère, si, par le plus grand des hasards, elle le croisait ici même. Putain, pensa-t-il, elle pourrait en tomber raide morte. Autour de lui, on se dépêchait pour attraper un autobus bondé. Plus haut, les pigeons s'abritaient sous les ailes des anges ornant la cathédrale, les statues ouvraient la bouche. Le soir tombait. Wahab se leva et revint sur ses pas.

Arrivé devant chez lui, il choisit de passer par l'escalier de service. Je risquerai moins de rencontrer quelqu'un qui dira, plus tard, au cours d'une conversation avec la femme à la longue chevelure blonde, j'ai croisé Wahab, ce jour où il a tant plu, vers quatre heures trente; il est rentré dans l'immeuble, et nous avons pris l'ascenseur. Quoi? répondrait-elle, il n'était pas à l'étude avec monsieur Guettier? Il m'a encore menti? Et ce serait terrible.

L'escalier de service, séparé par des plates-formes à la hauteur de chaque étage, grimpait le long du mur arrière et donnait sur une cour intérieure commune à trois autres immeubles. Wahab allait attirer l'attention de toutes les concierges s'il ne se dépêchait pas. Il s'élança sur les marches métalliques de l'escalier dont la structure, ancienne, se mit à grincer sous le poids et le mouvement de son corps. Un chant aigu résonna en écho, une mélodie dissonante, sans contour, sans nuances, sans fin véritable. Un concerto pour escalier métallique et cour intérieure. Insupportable. Indiscret. Les vitres des fenêtres se mirent à vibrer. Wahab s'arrêta. La cour se calma. Il se remit à grimper les marches une à une, sans précipitation. Sur les plates-formes, il joua de prudence à l'instant où il eut à passer devant les fenêtres de chaque étage. Lorsqu'il arriva à la hauteur de son appartement, il hésita avant de longer celle de la cuisine. La femme à la longue chevelure blonde doit être occupée à laver la vaisselle, pensa-t-il. Elle va me voir, c'est sûr. Il n'osa pas bouger. Faut que je fasse quelque chose... Quelqu'un va finir par appeler la police... J'aurais dû prendre l'ascenseur. Après plusieurs minutes d'incertitude, il se résolut à passer sous le cadre de la fenêtre en rampant sur la plate-forme inondée par l'averse. Moi qui ai tout fait pour ne pas être mouillé, je peux l'avoir dans le cul ! Il se releva, grimpa jusqu'au toit, passa par une porte dérobée, pénétra dans l'immeuble, puis, sans allumer la lumière de service, il redescendit jusqu'au palier de son appartement.

Chez lui, c'étaient les sonorités habituelles. La télévision du salon, l'évier de la cuisine... Parfois, la voix du père s'élevait pour réclamer quelque chose. Sans s'attarder davantage, Wahab sonna à la porte de Judith. Ce matin, j'ai dit que la période d'étude se terminait vers sept heures. Avec quinze minutes pour le trajet... Je dois être rentré à sept heures et quart, sinon ça va être la tempête de merde. La porte s'ouvrit et Judith apparut avec son sourire, ce sourire si souvent espéré, jamais altéré, dont le souvenir seul parvenait à faire oublier à Wahab la pesanteur de sa situation. Bonsoir Wahab... Bonsoir Judith. Son bonheur fut grand lorsqu'il l'entendit dire : Je t'attendais.

— J'espère que je ne suis pas trop en retard.

— Non. Je m'occupais des asperges, tu vas pouvoir t'occuper des tomates.

Il ôta son manteau et la suivit jusqu'à la cuisine. Il remarqua une horloge circulaire au-dessus de l'évier. Dix-sept heures cinq. Sur le comptoir étaient étalées différentes variétés de fruits et légumes. Dans un bol, un fromage blanc à la matière gélatineuse trempait dans l'eau. Des asperges étaient posées sur une planche de bois. Des feuilles de menthe et de basilic fraîches séchaient sur une serviette. Tout en parlant du temps et des promesses d'une chaleur à venir, annonciatrice du printemps, Judith regroupa les tomates, sortit une autre planche, puis lui tendit un couteau.

— Coupe-les en huit, ça va être plus simple, et mets-les dans le saladier.

De sa vie Wahab n'avait coupé de tomate. La cuisine était le royaume de sa mère. Aucun homme n'y était admis lors de la préparation des repas. Vous allez tout faire tomber, leur disait-on, et on les chassait. Judith devina peut-être son embarras, il ne put le jurer, mais elle s'approcha de lui, se saisit du fruit et le coupa d'abord par le milieu, puis trancha chaque milieu en deux et répéta le geste avec les quatre quarts. Wahab regardait les mains de Judith. Avec le scintillement de la lampe du plafond, la tomate semblait saigner de lumière éclatée à chaque coup de couteau.

— Tu vois, lui dit-elle, tu fais pareil pour les autres.

Il trouva du plaisir à sentir la matière fluide circuler entre ses doigts à l'instant où le couteau déchirait la peau douce du fruit. À ses côtés, Judith, d'un geste, éraflait chaque asperge dont elle ôtait une fine lamelle, éclaircissant le légume, faisant ressurgir la tendresse d'un vert si vif qu'il eut envie de le manger sans plus attendre. Elle lui montra comment trancher le fromage blanc. Prends-le, lui avait-elle dit, et Wahab avait plongé sa main dans le bol, dans l'eau. Se saisissant du fromage, il se saisissait des années perdues où on lui avait interdit tout contact avec la nourriture. Il salivait. Il retrouvait la faim, celle de l'appétit, des saveurs anticipées dans la bouche. Il travailla avec attention et posa les morceaux de fromage sur les tomates au fond du saladier.

— L'école... Ça va ?

— Oui...

— Et ta mère ?

— Elle vous remercie pour votre compréhension. Pour le piano.

La chatte entra dans la cuisine. Elle longea le mur. S'arrêta. Elle les regarda, tourna la tête vers le côté, indifférente à leurs activités, puis s'avança jusqu'aux mollets de Wahab contre lesquels elle se frotta, les narines tendues vers l'odeur des aliments. Wahab se baissa, caressa son pelage ras et dru, la prit dans ses bras, la berça; il pensa au chat de Colin, l'imagina mort au bout d'une corde, imagina Colin cachant le cadavre dans le panier à ordures. Quel con! se dit-il. La chatte se redressa, sauta sur le sol et sortit de la cuisine.

Les asperges étaient prêtes. Judith les mit dans une assiette en terre cuite, les sala, les poivra. Elle lui demanda de trancher le pain, puis, tout en dressant la table, elle lui parla de sa joie de l'accueillir chez elle.

— Cela fait si longtemps que l'on se croise sur le palier, à la même heure... J'ai fini par penser que tu n'existais pas... une vision.

— Pour moi, vous êtes réelle, Judith.

— Ce n'est pas pareil. Toi, tu me vois arriver, tu me vois sortir de l'ascenseur, prendre mes clés, rentrer chez moi... Moi, je ne t'ai jamais rien vu faire. Tu es là. Tu pourrais rentrer chez toi, mais tu ne rentres pas. Tu es là sans raison. Une hallucination, je te dis.

— Peut-être même que je ne suis pas là. Que rien de tout ça n'est vrai.

— C'est ça! Et là je parle seule, les tomates se sont coupées en huit par magie et je vais manger toutes les asperges.

— Pas toutes! Une hallucination a le droit d'avoir faim!

Ils rirent de bon cœur. Judith posa le saladier sur la table aux côtés d'une assiette garnie d'olives noires et d'un plat composé de différents agrumes. Il était dix-sept heures quarante. Wahab apporta le pain et s'assit en face de Judith.

Il était heureux de pouvoir manger une nourriture dont il ne connaissait pas les saveurs. Les endives, les asperges, les avocats étaient si paisibles aux côtés des alliages robustes des recettes de sa mère, mélanges de viandes et de pâtes arrosés de sauces. Des assiettes en forme de punition.

— Ça fait deux ans que l'on se croise, Wahab, et j'ai fini par croire que tu étais un ange gardien.

— Les anges gardiens ne mangent pas de tomates.

— Qu'est-ce que t'en sais ?

— Rien. Ce qui prouve que je ne suis pas un ange gardien. Mais dans le fond, ça ne change pas grand-chose, parce que peut-être que je n'existe pas... C'est vrai... Je ne rigole pas... Je veux dire que j'existe, c'est sûr, mon corps, ma présence... moi ! Oui. Mais je n'existe pas.

— Pourquoi tu dis ça ?

— Je ne sais pas. Quelle différence ? Si je n'avais pas existé, personne ne dirait : « Merde ! Wahab n'existe pas. »

— Imagine si tu disparaissais...

— Et alors ?

— Il y a des gens qui seraient malheureux.

— Ça passera.

— Faut pas dire ça...

— Les choses sont devenues très compliquées depuis hier et je ne suis pas sûr de comprendre... Pas sûr où tout ça va me mener.

— Tu t'en fous pour l'instant. Tu trouveras. Que ça te semble compliqué aujourd'hui... Dans le fond, c'est pas grave.

Wahab sourit. Il ne savait plus si les paroles de Judith, ces paroles offertes, étaient réelles, ou s'il n'avait pas tout imaginé. Il ne savait plus qui avait, de la réalité et du fantasme, détruit la clé de la vérité. Personne ne pourra me le dire. De toutes les façons, j'ai plus rien à perdre. Judith se leva et se servit un verre de vin. Elle en offrit à Wahab.

— Je n'ai jamais bu de vin.

— Faut un début. Je t'en mets un peu.

Il mangea ses asperges et rajouta de la salade. Ils trinquèrent à la santé de ce premier verre, de cette première gorgée. Wahab but. C'était amer et chaud, désagréable. Inhabituel. Il fit une grimace. Judith éclata de rire et son rire le ravit. Il loucha vers l'horloge. Dix-huit heures trente.

Judith alluma une cigarette.

— Ton regard est si triste ces jours-ci, Wahab...

— C'est la fatigue. Et puis l'ennui. Je m'ennuie. Rien qui excite mon intérêt, qui m'étonne.

— Tu n'as encore rien vu...

— Ça n'a pas d'importance. Ce que je n'ai pas vu n'existe pas et n'a aucun sens à mes yeux. Le monde que je connais m'ennuie.

— Rien ne t'intéresse ?

— Non. Plus depuis hier soir. Plus rien ne m'intéresse. Remarquez, ça a ses avantages, parce que du coup plus rien ne me déçoit. Ce sera peut-être ça, mon métier : ne pas être déçu. Par rien ni personne. Au début de l'année, à l'école, on a rencontré un orientateur, ou un orienteur, je ne sais plus. Il nous a posé une série de questions pour nous dire c'est quoi notre profil, vers quoi on devrait se diriger, dans le but de nous aider à nous éveiller à notre vie professionnelle et pouvoir la prévoir dès maintenant, enfin vous voyez le genre de conneries... À l'école, ils ont voulu faire jeune ; ils nous ont foutu un mec à casquette qui parle à l'envers et nous donne des tapes dans le dos... Il va revenir d'ici la fin de l'année. Moi, l'orientiste, j'aurai pas besoin de le revoir, je vous assure, je sais ce qui m'attend. Je pourrais ouvrir une boutique : «Boutique Wahab, quelqu'un que vous ne décevrez pas. » Ça pourrait avoir un grand succès. Quel abruti, ce mec ! je vous jure...

— Tu as dit que tu trouvais ça ridicule ?

— Pensez-vous... on peut rien dire... Vous êtes la première à me poser des questions ; en général, on veut me donner des réponses, et moi, j'ai rien demandé à personne ! Tenez : aujourd'hui on m'a dit qu'il était difficile de devenir un homme. Qu'est-ce que je m'en fous ! Et puis, qu'est-ce que ça veut dire ? Une vraie connerie, vous ne croyez pas ? «Il est difficile de devenir un homme. » Ça veut rien dire, cette phrase, rien dire pour personne ! Ou ça dit : «Quand est-ce que tu vas arrêter de nous faire chier, petit connard de merde?» Qu'est-ce qu'on s'en fout! Je vous le demande un peu! Se lever, aller étudier, pour devenir quelqu'un, se marier, puis les enfants, en général si seuls, puis la mort, la mort et peut-être Dieu. Je trouve ça si ennuyeux, qu'il n'y a rien à dire là-dessus, ni à s'en étonner non plus... mais je ne sais plus ce que je dis, ni pourquoi je vous le dis, ni même si je vous ai dit ce que je viens de vous dire... Excusez-moi...

Judith lui proposa de se resservir. Dix-huit heures cinquante. Il refusa.

— Il faut que je rentre, j'ai un examen dans trois jours.

— Bon.

— Voulez-vous que je vous aide pour la vaisselle?

— Oh non ! On va pas s'embêter avec ça.

Elle écrasa sa cigarette. Le regarda.

— Tu es un garçon très étonnant...

— On est tous des garçons très étonnants... Suffit de s'y intéresser...

Judith sourit.

— Cela fait longtemps que ta mère est malade?

— Trois ans.

— Qu'a-t-elle?

— Le cancer.

— C'est épouvantable.

— Oui.

Wahab raconta les circonstances ayant entouré l'annonce de la maladie de sa mère. Il raconta les réactions de chacun des membres de sa famille, raconta la tristesse des anniversaires dans ces conditions. Wahab se sentit glisser sur la paroi froide du mensonge. L'horloge indiquait dix-neuf heures cinq. Il lui fallait conclure. Lorsqu'elle saura la vérité, Judith me méprisera. Il était défait. Aucun bonheur à me fabriquer un malheur, plus rien à faire, pensa-t-il en plongeant tête baissée au fond du gouffre de ses fabulations.

— Le choc, pour mon père, a été terrible.

— J'imagine !

— Il passe son temps prostré devant la télévision, il ne mange plus, il est devenu incontinent, il ne s'en rend même pas compte. Ma sœur souffre, mon frère est atterré.

— Et toi ?

— Moi ? Je suis trop petit pour me rendre compte de quoi que ce soit.

— Tu as l'air de te rendre compte de tout, au contraire.

— Ne vous fiez pas à mes airs.

— Est-ce que ton pays te manque ?

— Non. Je suis bien ici. J'ai mes copains.

— Et la guerre ?

— Quoi, la guerre ?

— Tu y penses parfois ?

— Non. Jamais. C'était chouette, la guerre. On manquait l'école. On était toujours en vacances. C'était bien. Une bombe qui tombe, c'est beau.

— Pourquoi vous êtes venus ici ?

— Je ne sais pas. Mon père dit toujours : Dans trois mois ça va se calmer, on va pouvoir rentrer. Alors moi, je ne veux surtout pas que ça se calme, parce que je ne veux pas rentrer. Mais moi, on me pose jamais de questions. On ne me demande pas mon avis. On me confond avec les valises.

— Est-ce que tu te souviens de tes premières années, là-bas ?

— Pas très. Je me souviens d'un chien qui m'aimait bien. Sinon peu de choses, et certains visages me sont devenus inconnus, ajouta-t-il en la regardant.

Dix-neuf heures quinze.

Wahab ramassa ses affaires, remercia sa voisine et, avant qu'elle ne referme la porte derrière lui, il alluma la lumière de service et se retourna.

— Promettez-moi une chose, Judith. Quoi qu'il arrive, même si un jour l'envie vous prend de m'insulter ou, pire même, d'avoir pitié de moi, promettez-moi de ne pas oublier ce soir où vous m'avez appris à couper des tomates, boire du vin et avoir un peu plus de courage.

En une seconde, il eut les larmes aux yeux. Judith s'approcha et lui donna un baiser sur chaque joue.

— Je t'aime beaucoup, Wahab.

Elle rentra chez elle. La porte se referma. Le bruit du verrou résonna à ses oreilles, et dans le paysage intérieur de ses pensées, son cœur battait, orage annonciateur de pluie dont la première ondée coulait sur ses joues.

Wahab sortit la clé de son étui d'argent. Il s'apprêtait à l'introduire dans la serrure lorsqu'un cri retentit à l'intérieur de son appartement. Son sang se glaça. On marchait, on grondait, il y eut un bruit sourd de claquement d'armoires, puis il entendit la femme à la longue chevelure blonde hurler : Mais où est-ce qu'il est ? S'il n'est pas à l'école, où peut-il être ?

— Cesse de crier ! Il va arriver ! lança le père.

— Je sais bien qu'il va arriver, répondit-elle, j'espère qu'il va arriver, pourquoi a-t-il menti, pour aller où ? Pour faire quoi ?

— Calme-toi, ce n'est qu'un gamin !

Putain, pensa Wahab, et la lumière de service s'éteignit. L'oreille collée à la porte, il entendit la femme vociférer.

— Qu'est-ce que c'est que ce garçon ! Il raconte n'importe quoi. Que fait-il ? Où est-il ? Appelez ! Appelez ses amis ! Qui sont ses amis ? Vous savez qui sont ses amis ? Appelez ses amis, appelez quelqu'un !

— Mais arrête de braire et tais-toi ! Je veux écouter le journal, bordel de cul !

— De toute façon, à son retour, il faudra lui rappeler qui commande ici. Un point c'est tout ! On lui donne un peu de liberté, et voilà, il se croit tout permis ! Ce n'est pas un hôtel ici.

Wahab remit la clé dans son étui et l'étui au fond de la poche de son manteau. Se laissant glisser le long la porte, il se retrouva à terre, les mains dans la bouche. Je vais me faire tuer ! Putain, je vais me faire tuer. Ah ! la vache ! Ah ! la vache, la vache, la vache, ah ! mais la vache ! Ah ! la vache, la vache, la vache, la vache, la vache, la vache ! Ah ! mais la vache, mais la vache, la vache, la vache... Ah ! la vache ! Je vais me faire tuer... me faire tuer ! Ah ! putain ! Ah ! mon vieux, tu vas te faire tuer ! ah oui ! tu vas te faire descendre... Ah ! merde ! Ah non ! Ah ! quelle connerie ! Je vais me faire tuer, je vais me faire tuer !

Quelqu'un, des étages inférieurs, ralluma la lumière de service. Les bruits de pas à l'intérieur se rapprochèrent de la porte. Faut pas qu'elle me trouve là, faut pas qu'elle me trouve, merde ! Il bondit, grimpant la moitié de l'escalier vers l'étage supérieur, pour se cacher derrière la cage grillagée de l'ascenseur.

Monsieur Guettier avait dû appeler au cours de la soirée pour raconter l'incident de ce matin, révélant du même coup le mensonge de Wahab. Aucune excuse possible. Je pourrais dire que je me suis trompé, que je pensais qu'il y avait période d'étude, mais de quelle manière justifier le fait que je ne sois pas rentré à la maison sans attendre ? Je pourrais dire... mais il n'y avait rien à dire. Toute explication semblait vouée à l'échec. Je vais me faire tuer ! Wahab n'osait plus bouger. Encore moins se lever et rentrer chez lui. Cela lui semblait une épreuve insurmontable, une marche trop haute à franchir. Il entendait les cris et les hurlements de ses parents. Ou je me fais tuer tout de suite, ou je me fais tuer un peu plus tard. Incapable de se résoudre à se faire tuer tout de suite, il choisit d'attendre. Mais plus j'attends, plus elle s'énerve, plus elle se fâche, et plus elle se fâche, plus ce sera terrible. Il ne me reste plus qu'à avoir un accident. Voilà. Un accident ! Un arrêt du cœur ! Comment faire pour arrêter mon cœur ? Rien au monde ne pourra me sauver. Même un accident mortel n'excusera ni mon mensonge ni mon retard. Elle aura pitié de moi pour quelque temps, ça déplacera son inquiétude, elle me témoignera toutes sortes de gentillesses sur le lit d'hôpital, mais lorsque je serai guéri, elle me tuera. C'est dans la nature de cette femme. Tuer.

Une heure passa. Un certain calme régnait à l'intérieur de l'appartement. La porte s'ouvrait parfois et Wahab observait, à travers la cage grillagée de l'ascenseur, la silhouette de cette femme à la longue chevelure blonde. Mais merde ! Cette femme n'est pas ma mère ! J'en suis certain. Je me souviens du visage de ma mère. Ma mère a un visage rond et blanc. Où est-elle ? Quant à cette femme, pourquoi mon père ne s'étonne-t-il pas de sa présence ? Elle ne ressemble en rien ni à la tranquille douceur de ma mère, ni à la chaleur de son regard. La femme se mit à gémir. Une plainte longue et étouffée, un sanglot animal. Wahab, Wahab, murmurait-elle, où es-tu ? Il la voyait marcher de long en large sur le palier, tremblante, accablée, une douleur profonde au ventre. Au bout de quelques minutes, elle regagna l'appartement dont elle referma la porte. Elle me croit mort, ou enlevé, elle va finir par se rendre malade d'inquiétude. Elle doit s'imaginer les pires choses à mon sujet, qu'on m'a violé, que mon corps a été jeté dans le fleuve, dans quelques jours on me retrouvera sur la rive, défiguré. Pour calmer cette femme, il me suffit d'ouvrir la porte et d'entrer. Mais elle me fera éclater la cervelle. C'est elle ou moi.

D'heure en heure, il lui devenait impossible de rentrer chez lui. Il avait sommeil et commença à s'assoupir. Si je ne rentre pas à la maison, c'est parce que je ne veux plus rentrer à la maison. Wahab se redressa. Une corde invisible, tombée du ciel, venait de lui être lancée pour le tirer du néant. Il ne voulait plus. Non ! Je ne veux plus croiser cette femme à la longue chevelure ni poser les pieds sur cette moquette rouge ! C'est clair.

On fit un appel d'ascenseur. Wahab demeura attentif. La lumière de la cabine passa devant lui. Elle s'arrêta au rez-de-chaussée. La porte s'ouvrit, se referma, et le mécanisme se remit en marche. Premier étage ; deuxième étage ; troisième étage ; quatrième étage. Son frère apparut sur le palier. Wahab l'épia. Il le vit retirer sa clé, l'introduire dans la serrure, tourner le verrou et pénétrer dans l'appartement. Les cris reprirent.

— Son professeur a appelé à cinq heures trente pour parler à ton petit frère. Quoi ? Il n'est pas avec vous, en période d'étude ? lui ai-je demandé. Sais-tu ce qu'il m'a répondu ?

— Qu'il n'y avait pas de période d'étude.

— C'est ça ! T'a-t-il dit quelque chose ? Sais-tu où il se trouve ?

— Calme-toi, maman !

— Me calmer ? Me calmer ? Tu veux que je me calme ?

— Qu'avez-vous fait ?

— Que veux-tu que l'on fasse ?

— Avez-vous appelé la police ?

— La police ! Pourquoi veux-tu appeler la police ?

La femme voulut que l'on éteigne la télévision. Le père protesta.

— Ce n'est pas parce que ce petit con a disparu, bordel de merde, que je vais me priver de mon émission favorite !

— Maman ! Il faut appeler la police ! insistait le jeune homme.

— Je ne veux pas.

— Que veux-tu faire ?

— Attendre un peu.

— Il est onze heures et demie, maman. Il ne viendra pas.

— Mais où est-il parti ?

— Je ne sais pas, maman, et c'est pour cela qu'il faut prévenir la police. Elle saura le retrouver.

— Mais où est-il parti ? Pourquoi n'est-il pas rentré à la maison ?

— Maman, calme-toi !

— Pourquoi ? Pourquoi ?

— Nawal ! Ma sœur ! Cesse de pleurer et viens m'aider !

— Maman, je t'en prie, ne t'inquiète pas. Il reviendra. Il est sans doute chez un ami et, surpris par le sommeil, il a dû s'endormir. Demain, nous aurons de ses nouvelles.

— Tu crois ?

— J'en suis certaine.

— Bon. Attendons.

— Et moi, je vous dis que l'on devrait appeler la police. S'il n'est pas rentré à la maison, c'est parce qu'il ne veut plus rentrer à la maison.

Wahab en avait assez entendu. Il avait son excuse. Merci, mon frère. J'ai menti pour pouvoir partir. M'enfuir. Faire une fugue. Olivier et Bruno en ont fait une l'année dernière, et monsieur Guettier nous a dit que ce n'était pas grave, que ce sont des choses qui arrivent et que c'était courant de faire une fugue lorsqu'on est adolescent. Je suis adolescent et je vous emmerde ! Voilà ! Plus tard, j'expliquerai tout cela en disant que je n'étais plus heureux chez moi, que je me sentais oppressé et toutes ces conneries dont les grandes personnes semblent s'accommoder.

Il ramassa ses affaires, attacha son manteau, descendit les escaliers et sortit dans la rue.

Il marcha sans se soucier ni du froid ni de la pluie, évitant les ruelles dont il n'aurait pu supporter la solitude. Il gagna les grands boulevards. Son cartable sur le dos, il se sentait perdu au milieu des klaxons des voitures et de l'effervescence du monde, intimidé par la faune nocturne de la ville. Il y avait tant de gens ! Wahab les voyait se précipiter dans les cafés, les restaurants et autres lieux mystérieux d'où s'échappait une musique aux rythmes rapides et sourds. Il lui était impossible de s'arrêter dans cette frénésie sans attirer l'attention. On viendrait vers lui pour l'aider ; on lui poserait une série de questions auxquelles il ne saurait répondre, on se rassemblerait jusqu'à l'inévitable arrivée d'un policier enrhumé, écœuré par le mauvais temps et se mouchant sans cesse, exigeant de connaître la source de cette agitation ; il lui demanderait par la suite de décliner son identité, voudrait savoir la raison de sa présence ici à pareille heure, le croirait perdu, le ramènerait chez lui, et ce serait la fin.

Il décida de poursuivre jusqu'à la première station de métro où il pourrait, au chaud et au sec, réfléchir à ce qu'il devait faire. Mais Wahab n'avait pas d'argent. Il devait soit ruser en sautant par-dessus la barrière, soit demander au guichetier de le laisser passer. Aucune des deux solutions n'était facile : la première allait le faire remarquer, la deuxième avait quelque chose de trop hasardeux. Je pourrais dire que j'ai perdu ma carte ! L'idée n'était pas mauvaise et, ainsi mouillé, il saurait faire pitié. Il pleuvait à torrents. Il attendit sous un porche. Des femmes à talons hauts passèrent en courant et traversèrent le boulevard. Il les vit longer en file indienne les murs des immeubles d'en face avant de disparaître derrière la pluie. Il se remit en route. Le guichetier du métro avait pris une importance considérable. Il le voyait gros, trop serré dans son uniforme bleu, les cheveux sales, les joues rouges, une barbe lui dessinant le contour de la mâchoire. Un petit nez relevé et boutonneux.

— Pourquoi est-ce que je te laisserais passer sans payer ? lui demanderait-il.

— Ce n'est pas possible, se voyait répondre Wahab, vous faites du zèle, ma parole ! Un pauvre garçon qui ne fait de mal à personne !

— Mais oui, mais je fais mon métier ! répliquerait le guichetier.

— Vous faites votre métier, vous faites votre métier, mais vous emmerdez les gens ! J'ai perdu ma carte, vous pourriez me laisser passer ! Ce n'est pas la lune que je vous demande ! Il pleut à torrents dehors ! Pensez un peu à ma mère !

Le guichetier refuserait et ce serait terrible. Wahab exigerait qu'on le conduise auprès du patron de la station. Ce serait sans aucun doute un homme intelligent. Dès le premier coup d'œil, il saurait comprendre Wahab. Il le ferait entrer dans son vaste bureau. De la fenêtre, ils regarderaient la nuit et à leurs pieds la ville serait là, laminée par le pétillement de la pluie. Ils discuteraient sans élever le ton. Wahab lui ferait le récit de toute son aventure et le patron comprendrait sa situation et en serait bouleversé. Il le prendrait sous sa protection, faisant tout ce qui est en son pouvoir pour lui venir en aide. Il lui donnerait un plan détaillé du réseau souterrain de la ville puis, d'un coffre-fort dont l'ouverture ne se ferait qu'à la suite d'une longue combinaison de chiffres, il sortirait un étui d'argent à l'intérieur duquel se trouverait une clé. Cette clé est unique, Wahab, lui expliquerait-il, elle te permettra d'ouvrir toutes les portes vertes du métro sur lesquelles il est inscrit «Réservé au personnel». Je le remercierais, et je sortirais de son bureau pour me précipiter dans le monde. Au cœur de ce réseau souterrain, je ferais la connaissance d'une bande de voleurs et de truands vivant là dans la clandestinité. Je ferais mes preuves. Je deviendrais leur chef. Un jour, par hasard, je croiserais ma mère. Elle me reconnaîtrait et me verrait donner des ordres et diriger une opération menée par des hommes armés : une prise d'otages aurait eu lieu. Tout un wagon serait sous la menace d'un terroriste. Il réclamerait la libération de quarante-quatre dangereux prisonniers. Je saurais chaque fois prendre la bonne décision et je réussirais à désarmer le terroriste en rusant de manière inattendue, puisque, sachant parler sa langue, je devinerais ses plans. On découvrirait par la suite que ce terroriste était un criminel recherché par la police du monde entier. On viendrait vers moi, on me photographierait et sous les feux des projecteurs, devant la télévision en direct, je me retrouverais nez à nez avec ma mère.

— Wahab, rentre avec moi !

— Non, maman ! Il n'est plus temps pour moi de retourner à la maison. Maintenant, ici, dans le métro, entouré par la foule, mon bonheur est grand : je te regarde et je te reconnais. Ne pleure pas ! La vie m'a ouvert ses bras et je m'y plonge. Étrangers, nous nous reconnaîtrons mieux. Mère et fils. Je suis exilé de toi. C'est dur, mais nécessaire. Va, maman. Tu salueras Nidal, Nawal, et tu salueras mon père. Ne t'inquiète plus pour moi, je sais qui je suis.

Elle se laisserait aller à pleurer. Elle me quitterait en me disant qu'elle est très fière de moi et que désormais elle pourrait mourir en paix.

Il arriva à la station de métro.

Il attendit derrière deux hommes habillés de noir, chapeau mouillé rabattu sur les yeux. Ils prirent leur ticket et traversèrent les tourniquets. Wahab approcha du comptoir.

— Un tarif étudiant ? lui demanda l'employé.

— En fait, j'ai pas d'argent sur moi, et j'ai perdu ma carte, et comme il pleut dehors, je me demandais si...

— Si quoi ?

— Si je pouvais ne pas payer... C'est parce que ma mère...

— Quoi, ta mère ?

— Ben oui. Ma mère... Elle s'inquiète... Et puis...

— Et une sœur ? T'aurais pas une sœur un peu sympa que tu pourrais me présenter ?

— Oui, j'ai une sœur, mais franchement sa figure ne vous dira rien... Ma mère...

— Allez ! Allez ! Ça va ! Je ne veux pas que tu me parles de ta mère ! Je l'emmerde, ta mère ! Passe et ferme ta gueule !

Il passa. Descendit les escaliers. Une fois sur le quai, il s'assit sur un banc.

Drôle de guichetier, pensa-t-il.

Il laissa passer le premier métro. Il ferma les yeux. Il faut que je parle à Colin, ma mère doit être morte d'inquiétude. Un policier va finir par s'étonner de me voir assis sur ce banc. Des images commencèrent à défiler. Il se revit assis dans l'escalier de son immeuble, caché derrière la cage grillagée de l'ascenseur. La porte de son appartement s'ouvre et sa sœur vient lui dire qu'il peut entrer. Tout est arrangé, semble-t-il. Il ne se fera pas gronder. Il entend sa mère rire, quelqu'un est en visite. Viens, Wahab, lui fait sa sœur, viens, la fête va débuter. La fête ? Quelle fête ? Mais ta fête, ton anniversaire, tu as quatorze ans, viens, nous allons te présenter tante Mathilde rentrée du Mexique pour te voir. Viens, ne crains rien, c'est la fête, je te dis. En effet, l'atmosphère semble si joyeuse et le reste du monde si menaçant. La télévision est éteinte et tante Mathilde est là ! Cette femme m'aime, j'en suis certain, elle n'est là que pour moi, pour me sauver, elle m'attend, l'odeur des plats embaume toute la cage d'escalier où il est blotti. J'arrive, dit Wahab, j'arrive !

Il ouvrit les yeux. Une rame de métro quittait la station.

Il marcha le long du quai pour éviter de se rendormir. Il se figura la panique de ses parents, leur inquiétude. Il imagina la femme à la longue chevelure blonde étendue à terre, confinée dans la solitude de sa cuisine, pleurant, attendant de ses nouvelles, espérant son retour. Le métro entra dans la station.

Il monta dans un wagon désert et arriva au terminus sans avoir vu monter un seul passager.

L'horloge de la station indiquait minuit cinquante.

Il consulta un plan du quartier mais ne reconnut rien. Le fleuve n'y figurait pas. Il se retourna. Sur le quai d'en face, deux personnes attendaient le dernier métro. Je vais remonter la ligne et aller à la station proche de la maison. J'attendrai là et demain matin, j'irai voir Colin et je lui parlerai, je lui expliquerai tout, je le chargerai de faire le message à ma famille et puis je m'en irai, et puis voilà, et puis zut et puis merde et zut et merde. Wahab s'approcha d'un jeune homme d'une vingtaine d'années plongé dans la lecture d'un livre.

— Excusez-moi, monsieur.

— Oui ?

— Est-ce que je peux attendre le métro avec vous ? J'ai un peu peur.

— Mais oui.

— Merci.

Wahab s'installa sur le banc. On me croira avec lui. On nous pensera frères et la police ne s'occupera pas de moi. Le jeune homme avait refermé son livre.

— Qu'est-ce que tu fabriques ici, tout seul ?

— Je reviens de chez ma grand-mère. Elle est très malade et elle s'est plainte toute la journée parce que personne n'est venu la voir. Et son chat est mort...

— Son chat est mort !

— Oui, son voisin a un fils. Il a taillé les moustaches du chat et s'est amusé à le pendre. Ma grand-mère est très troublée. Je suis venu lui rendre visite.

— C'est dégueulasse, cette histoire de chat !

— Oui.

— Tu aurais dû rester chez elle !

— Je sais. Elle ne voulait pas me laisser aller non plus. Mais bon. Ma mère se fâche si je ne couche pas à la maison les jours de semaine.

Le jeune homme lui posa une autre question mais ses paroles furent noyées dans le vacarme du métro entrant à toute allure dans la station.

Le compartiment était désert.

— Tu vas jusqu'où ?

— Jusqu'au quartier du vieux pont de pierre, répondit Wahab.

— C'est sur mon chemin. Tu ne resteras pas seul.

— Et vous ?

— Je vais travailler.

— Maintenant ?

— Ça t'étonne ?

— Un peu, répondit Wahab. La nuit on dort, non ?

— Moi, je dors le jour.

— Quel genre de travail ?

— Gardien de sécurité dans une école privée. La nuit, pendant les périodes d'examens, des élèves viennent pour étudier ou pour finir leurs gros travaux. Je prends les présences, je les fais signer dans un registre à l'arrivée et à la sortie.

— C'est tout ?

— C'est tout.

— C'est pas un peu long ?

— Je passe le temps, je lis, et puis c'est tranquille, on se fait pas trop chier.

— Qu'est-ce que vous lisez ?

— Des romans. Des histoires.

— Moi aussi, j'aime lire. À l'école, on nous donne des romans.

— Ah ouais, j'imagine ! Putain ! L'école ! Je vois le genre d'histoires qu'ils doivent vous refiler ! Des histoires de chiens, c'est ça ? L'animal qui s'enfuit de chez une marâtre infernale dont le visage ne lui revient pas et qui, courageux, traverse tempêtes et tornades pour retrouver son véritable maître !

— On lit autre chose, puis j'aime bien les chiens...

— Arrête ! Il n'y a rien de plus gonflant que leurs histoires de chiens qui réussissent à retrouver la trace de leur véritable maître... je te jure ! Les livres les plus chiants que j'ai lus sont ceux qu'on m'a donnés à lire à l'école ! Parce que si j'avais eu à attendre l'école pour découvrir le plaisir de lire, j'attendrais encore ! Il n'y a rien qui m'énerve plus au monde que de me retrouver dans une librairie en face de l'un de ces romans. Ils pensent nous émouvoir avec leurs histoires de clébards ! Tant d'autres récits sont là, renversants, bouleversants, prêts à nous aider à traverser les années noires de notre adolescence, à nous mettre un peu au courant de la vie, et eux, qu'est-ce qu'ils font ? Ils nous refilent des histoires de clebs ! Moi, par exemple, je peux te le dire, il y a des choses dont j'ignorais l'existence et dont on ne m'a rien dit, rien fait soupçonner ! Tu comprends ? Les étoiles, par exemple ! Les étoiles ! Les étoiles, c'est ce qu'il y a de plus fondamental ! Certaines d'entre elles, visibles lorsque le ciel est clair, se sont éteintes longtemps avant la création de la Terre mais elles continuent à briller. La lumière voyage mais l'espace est inimaginable de grandeur, de profondeur, d'épaisseur, de hauteur. Le temps de voir la dernière lueur des étoiles mortes du ciel, nous serons tous morts ! Et la Terre avec nous ! C'est renversant, non ?

— Oui ! souffla Wahab.

— Et personne ne t'a rien dit à ce sujet, n'est-ce pas ?

— Non.

— On pense que tu es trop jeune, trop con ! Que tu ne comprendrais pas ! Alors on te bassine avec des histoires de chiens ! Le vent ! c'est pareil ! Sais-tu ce que c'est le vent ?

— Le vent ? ben... c'est le vent ! répondit Wahab.

— Oui, mais d'où ça vient, le vent ? Hein ? Ha ! Voilà autre chose sur lequel on ne nous dit rien ! La provenance du vent ! Mais te voilà arrivé ! C'est ta station !

Ils se saluèrent et Wahab sortit du wagon.

IL NE PLEUVAIT PLUS. Les rues étaient désertes. Les immeubles dormaient. Parfois, une fenêtre s'éclairait; Wahab s'arrêtait et demeurait là, à contempler cette lumière. Ni la personne l'ayant allumée, ni la raison pour laquelle elle l'avait fait n'avaient d'importance. La lumière était là, droite au milieu de la nuit, elle ne vacillait pas, elle ne se transformait pas, elle demeurait ce qu'elle était, une lumière dans la grande ville où tout le monde dort. Lorsqu'elle s'éteignait, elle n'existait plus.

Il marcha jusqu'au port et s'assit au pied de la grande horloge. L'homme à la pervenche doit dormir à l'heure qu'il est, pensa-t-il. Il eut froid. Il se promena un temps, longeant le quai, et fut émerveillé par la silhouette du vieux pont de pierre. Noyé par la brume, il avait pris l'allure d'un animal de légende, un dragon sombre dont les quatre pattes massives plongeaient dans l'eau. Il descendit les marches d'un escalier. Des péniches amarrées, toutes lumières éteintes, se reposaient, bercées par le mouvement du fleuve. Sur la rive opposée, la ville scintillait à travers le brouillard de la nuit. Wahab arriva sous le pont. Là, dans sa structure même, il trouva un espace couvert où il se coucha de tout son long. Je dors dans le ventre du dragon, rien ne peut m'arriver, se dit-il. Et il éclata de rire.

La nuit était froide. Un grelottement s'empara de tout son corps. Il tenta de se raisonner, mais aucune pensée, aucune réflexion, aucune suggestion ne parvenait à calmer cette effervescence. Putain, pensa-t-il, ou je me réchauffe et je m'endors, ou je me fais chier et je meurs; et si un policier me découvre, je lui dirai que je m'en fous. Il me ramènera à la maison, et puis voilà ! Je me ferai tuer, et puis c'est tout ! Et si je ne me fais pas tuer, je me tuerai moi-même. Je ne me vois pas passer le reste de mes jours à faire semblant qu'une femme que je ne connais pas est ma mère. Je l'ai aperçue à travers la grille de la cage de l'ascenseur, et ce n'est pas elle ! Ou si c'est elle, son visage a changé du tout au tout ! Un bouleversement a eu lieu le jour de mon quatorzième anniversaire, et dans ce cas-là, il ne me reste plus qu'à disparaître puisque je n'ai jamais été préparé à cela. Les gens qui m'entourent et m'aiment ont trouvé inutile de me prévenir, se disant sans doute que quelqu'un d'autre allait le faire ! De toutes les façons, pensa-t-il, ma situation n'est pas reluisante : soit c'est ma mère, soit ce ne l'est pas. Si c'est elle, alors c'est la fin du monde, et si ce n'est pas elle, ça veut dire qu'il n'y a jamais eu de monde. Que le monde n'existe pas. Que tout cela n'est qu'un rêve, un rêve rêvé par un dieu épuisé, fatigué et étourdi, qui va s'éveiller et, pour quelques secondes, tenter de se souvenir de ses songes, mais tout au plus il ne parviendra qu'à se souvenir d'une vague sensation de perte et de cauchemar. Et nous aurons tous été oubliés. Et puis voilà ! Nous avons été oubliés. Et puis c'est tout ! Et puis j'en sais rien !

Mais il n'y avait rien à savoir. Rien à dire. Pas même une seule question à poser puisque, depuis le jour de son anniversaire, une réponse impitoyable venait de lui être donnée. Et quelle réponse pouvait être plus grande que celle reçue sans qu'aucune question ait encore été posée ?

Cette métamorphose des visages le clouait au mur de sa peur. Merde ! Merde, merde, merde et merde ! Je m'y habituerai jamais. Je préfère crever ou me faire débile ou fou, fou si furieux à en devenir maniaque, affreux et tout à fait illuminé et être assassin, mais assassin dégueulasse, salaud, assassin crapule, assassin à fond ! Et puis violeur, mais violeur violent, pas doux, pas tendre, violent ! avec les crocs ! Les filles, les vieux, les enfants, tous, je les violerai et puis je leur enfilerai une balle dans le front et un poignard dans le dos... inhumain tant qu'à y être... écorcher les cadavres de tous ceux dont la gueule ne me revient pas, putain ! Dégueuler toute la colère de l'univers et du vent... Recroquevillé au creux du pont, Wahab rageait pour se donner du courage et se réchauffer. Je ne vois pas pourquoi je me fais autant chier. Demain, j'irai voir Colin. Je lui dirai que je m'en

vais ! Que j'ai la force en moi et la révolte de partir.
De faire ma vie ! Je suis jeune mais qu'est-ce que
cela signifie, être jeune, lorsque l'on ne reconnaît
plus sa propre famille ? Je le lui dirai à Colin et il
m'aidera, il ira voir ces gens et les rassurera sur
mon compte ! Voilà !

Ramenant son cartable contre lui, il ferma
les yeux et s'endormit, enveloppé par l'écharpe
blanche du brouillard.

La grande horloge du port sonna trois heures
trente.

Wahab fit un rêve.

Il était assis dans son lit. Il se vit se lever et sortir
de la chambre pour aller jusqu'à la cuisine boire un
verre d'eau. Il attendit, spectateur de lui-même et de
ses réflexions, sans que celles-ci l'arrachent à son
sommeil. Lorsqu'il se vit rentrer dans la chambre,
il devint son propre personnage; ne se voyant plus
évoluer, c'était lui à présent qui avançait vers son
lit pour s'y recoucher. Toute pensée l'avait quitté.
Arrivé à la hauteur de son lit, il se retourna. Un
grand oiseau de pierre le fixait. Il crut voir l'ombre
de la femme aux membres de bois, mais l'oiseau
se mit à chanter et l'ombre disparut, le cauchemar
s'éloigna du rêve. Au-dessus de l'oiseau, creusée
dans un mur épais, il y avait une fenêtre identique à
celles ornant les châteaux carolingiens contemplés
dans son livre d'histoire. Un rayon de soleil vint
inonder la chambre et le grand oiseau de pierre
se mit à battre des ailes. Wahab sentit ses bras
et ses jambes se détacher de lui, son visage subir

des contorsions. Des mains expertes remodelaient ses traits, inventant une architecture nouvelle pour son crâne. Des doigts puissants s'enfoncèrent au centre de sa figure et y recréèrent les orbites de ses yeux ; son cerveau se contracta puis tout le reste de son corps subit un frisson formidable le faisant tressauter à plusieurs reprises. Wahab explosa. Il ressentit jusqu'aux os le vent venant de la fenêtre. Son souffle le traversa et le souleva ; il l'emporta à travers la chambre et, passant près d'un miroir, Wahab aperçut son corps fait à la ressemblance du grand oiseau. Il alla se poser sur le bord de la fenêtre. Le paysage était splendide. Une mer vaste dont les vagues, emportées par leur danse, venaient jusqu'à lui pour lui lécher les plumes. Le ciel était vert et, sortant du soleil, il vit une nuée d'oies sauvages s'éloigner vers l'horizon. Attendez-moi ! voulut-il crier, mais aucun son ne sortit de sa gorge. Wahab se retourna. Le grand oiseau avait à présent ses traits, ses jambes, ses mains et son visage à lui. Il le vit monter dans le lit pour se coucher, mais avant de disparaître sous les couvertures l'oiseau de pierre devenu enfant et l'enfant devenu oiseau de pierre restèrent un instant à se regarder. Tout est joué, pensa-t-il. Se retournant vers le paysage et le monde, Wahab se lança dans le vide en ouvrant toutes grandes ses ailes de statue.

Il fut réveillé par les appels des éboueurs et par le compresseur de leur camion. Les boulangeries levaient leur store et dans les bars-tabacs, les serveurs plaçaient les chaises autour des tables. Wahab se leva et sortit de sa cachette. Il alla au bord de l'eau. Le ciel s'arrachait aux couleurs de la nuit. Une lumière nouvelle s'élevait au-dessus de la ville, faisant renaître les toits, les corniches et l'architecture des immeubles. Tout dormait sous le poids des nuages. À leur vue, Wahab songea à ce poème donné par monsieur Guettier. Vous l'apprendrez par cœur pour lundi prochain, vous serez interrogés et notés sur votre compréhension du texte et sur la qualité de la récitation que vous en ferez. Wahab avait tenté de relever le défi, mais après quelques heures d'acharnement il n'avait réussi qu'à assimiler le premier vers. *Quand le ciel bas et lourd pèse comme un couvercle...* et je ne me souviens pas du reste, ni du nom de l'auteur, ni du titre, ni de ce que ça racontait, je me souviens seulement de ça, du couvercle... pardonnez-moi, monsieur Guettier, mais votre poème, vous pouvez vous asseoir dessus, moi, je me casse.

L'horloge indiquait six heures dix.

IL FIT DES DÉTOURS pour ne pas avoir à passer par telle et telle rue, devant telle et telle maison où l'on pouvait le reconnaître. Il évita la boulangerie, le fleuriste, l'opticien et le marchand de journaux. Ils me sauteront dessus dès qu'ils me verront; ils se chamailleront, et celui qui cassera la gueule aux autres voudra obtenir la récompense promise pour ma capture. Le quartier au complet doit me guetter. J'en suis sûr.

Il arriva dans une ruelle par où il passait avec Colin chaque matin. Au bout de dix mètres, il trouva, à sa droite, un escalier en béton dont les quelques marches descendaient vers une porte obscure. Plusieurs couches d'affiches publicitaires recouvraient les portraits des vedettes de variétés et ceux des personnages politiques en grande partie délavés par la pluie et les ans. Wahab alla s'y cacher et resta là à attendre, les deux pieds dans une flaque d'eau. Cela sentait les poubelles et la sueur. Le béton suintait l'urine dont il était imbibé. Un relent de pigeons crevés se mélangeait à la puanteur des vomissures.

Colin sortait de chez lui vers huit heures. Wahab attendit. Il écarquilla les yeux pour se garder éveillé. Colin ne viendra peut-être pas. Il ne passera pas par la ruelle; il en a peur. Ou, tombé malade, sa mère lui dira de rester à la maison. Ou pire, peut-être va-t-il rencontrer Séguier en chemin. Séguier, lorsque l'on annoncera à la radio ma disparition, il dira à tout le monde qu'il m'a vu, il voudra que l'on parle de lui à la télévision, que l'on mette sa photo dans le journal et voudra avoir la récompense. Il ne faut pas que Colin le rencontre.

Au moindre bruit de pas, Wahab retenait son souffle et espérait voir apparaître son ami. À plusieurs reprises, il se crut dans sa chambre, couché dans son lit, mais à l'instant où le poids de sa tête l'entraînait en avant il se redressait, et pendant cet ardent effort il reconstituait les lieux où il s'était arrêté : l'escalier, le métro, le pont de pierre et alors, seulement, la ruelle ressurgissait. Puis sa fatigue eut raison de son dégoût. Il appuya son épaule contre la porte et y reposa sa tête : je compte jusqu'à soixante-huit; à soixante-huit, c'est lui. Les yeux clos, Wahab compta jusqu'à soixante-huit. Un camion de marchandises s'arrêta dans la ruelle pour une livraison. Je compte jusqu'à cinquante et un; à cinquante et un, c'est lui. Il commença à s'impatienter. Tous les gens sont sortis de chez eux, pensa-t-il. L'agitation des deux rues perpendiculaires à la ruelle et les fréquents passages du métro aérien en étaient la preuve.

Qu'est-ce qu'il fabrique ? Merde ! S'il n'est pas là à deux cent trente-quatre, je m'en vais ! Colin arriva à cent quatre-vingt-deux.

— Colin !

Il ne s'arrêta pas.

— Pst ! Colin !

Colin accéléra le pas. Putain, ce qu'il peut être con...

Wahab sortit de l'ombre.

— Colin ! Colin, c'est moi, Wahab...

Colin se retourna.

— Wahab !

Il courut vers son ami. Wahab l'entraîna à l'ombre de la porte.

— Salut, Colin.

— Wahab ! Wahab ! Mon vieux !

— T'es au courant ?

— Si je suis au courant ? s'écria Colin. Tu parles si je suis au courant ! Toute la ville doit être au courant ! Cette nuit, ma mère m'a réveillé parce que monsieur Guettier a appelé et il voulait me parler.

— Monsieur Guettier ? Cette nuit ?

— Oui, monsieur Guettier ! Avec le directeur, ils ont appelé tous les élèves de la classe, au beau milieu de la nuit, et les élèves de la classe ont tous dit que c'était moi ton meilleur ami... même Séguier a dit ça, il paraît ! Je l'ai demandé à monsieur Guettier et c'est lui qui me l'a dit, oui, même Séguier est d'accord : c'est moi ton meilleur ami...

— Même Séguier...

— Monsieur Guettier a appelé à la maison. Pour savoir. Mais moi, je ne savais rien. Je n'ai rien dit. Pas même le secret. Rien. Il paraît que tes parents sont inquiets. Ta mère pleurait au téléphone. C'est monsieur Guettier qui me l'a dit. Remarque, peut-être qu'il a un peu exagéré pour m'intimider, pour que je parle, mais moi je n'ai rien dit parce que de toutes les façons je ne savais rien. Et je vais te dire une chose, Wahab : j'étais super content de rien savoir parce que sinon, il aurait fallu que je fasse semblant pour nous tirer de cette histoire, mentir, quoi. Puis rien, nul... Tu te rends compte ? Pour la première fois, il s'est passé quelque chose de grave à la maison, et je ne me suis pas fait engueuler ! Ma mère avait l'écouteur collé à l'oreille. Elle a entendu toute la conversation... plus pour savoir s'il fallait me foutre une baffe que pour savoir ce qui se passait ! Mais rien à redire ! Elle a même été forcée de m'embrasser parce que monsieur Guettier lui a dit que je n'allais pas redoubler ma classe.

— Et tu dis que ma mère pleurait ? Qu'elle était inquiète ?

— C'est ce que monsieur Guettier m'a dit, Wahab.

Wahab releva la tête. C'est marrant ! Colin a dormi dans son lit. Pas moi. C'est marrant... Chacun d'un côté d'une clôture... Wahab s'éloigna de la porte et s'assit sur la première marche de l'escalier. Il se pencha et attrapa un des rayons pâles du soleil.

— Qui est-ce? demanda-t-il.

Colin s'approcha et regarda de chaque côté de la ruelle mais ne vit personne.

— Qui ça?

— Qui est-ce? demanda encore Wahab sans élever la voix.

Colin s'assit à ses côtés.

— De qui tu parles?

— La femme à la longue chevelure blonde, qui est-ce?

— Wahab... Wahab, mon vieux...

Wahab répéta la question, sans cris, sans force, sans humeur. Qui est-ce?

Le chauffeur acheva sa livraison. Wahab et Colin le virent prendre place au volant de son camion, mais lorsqu'il se pencha pour refermer sa portière, il les aperçut à son tour.

— Qu'est-ce que vous avez à glandouiller là, vous deux? Y a pas d'école?

— Si, monsieur, fit Colin.

— Alors qu'est-ce que vous fabriquez? Vous voulez plus y aller?

— Oh! Si, monsieur...

— Et l'école? Hein? À quelle heure qu'elle commence, l'école, vous me prenez pour qui, petits salauds? Hein? Vous vous foutez de ma gueule?

— Oh non, monsieur, répondit Colin, mais mon copain et moi, on... on...

— On... on... on quoi? Qu'est-ce que tu as à bégayer?

Il sauta à terre.

— Wahab, Wahab, merde ! Il vient vers nous !

Le camionneur poussa Wahab du pied.

— Et ton copain, là, qu'est-ce qu'il a ? Il est malade ?

Wahab ouvrit les yeux et fixa le livreur. Il se releva, s'avança vers lui, et sans hésiter lui parla d'un certain camarade, du nom de Séguier, ayant oublié son cahier d'histoire et de géographie à la maison et ayant dû rebrousser chemin pour aller le chercher.

— Du coup, vous comprenez, monsieur le livreur, déjà qu'il va se faire engueuler par sa mère qui ne sera pas contente de le voir revenir à la maison pour une question de négligence... Quoi ? elle lui dira, tu as encore oublié ton cahier ? Connerie de bordel ! Tu n'as pas honte d'oublier ton cahier, petit enfoiré ? Minable ! Enculé ! Crétin ! Connard ! Et toutes sortes d'autres injures que vous pouvez pas vous imaginer tellement elle a du vocabulaire, la mère de Séguier... Vous pouvez le demander à mon copain, là, il vous le dira, elle n'est pas du tout, du tout commode ! Alors nous on l'attend, pour qu'il n'ait pas, Séguier, en plus, à se faire engueuler par le professeur de mathématiques en arrivant tout seul en retard. À trois, nous aurons l'air moins cons...

— Le professeur de mathématiques ?

— Oui, monsieur le livreur, le professeur de mathématiques, nous étudions les fonctions relatives, c'est passionnant ! C'est un cours très important. Il nous permet de comprendre la provenance du vent! Parce que le vent, monsieur, c'est une chose terrible! D'où vient le vent? Et où va le vent? Le savez-vous?

— Non, répondit le livreur.

— Justement! L'autre jour, en classe, on s'est tous révoltés et on a dit au professeur notre façon de penser! Qu'il ne nous mettait jamais au courant des véritables choses, que c'était tout de même incroyable qu'à notre âge on ne sache pas ce qu'est le vent et sa nature, qu'il était temps pour lui de nous montrer le squelette du vent et sa colonne vertébrale. On veut savoir à quoi on doit s'en tenir. On ne nous dit rien. Au lieu de ça, on nous refile des histoires de clebs! On en a rien à foutre, nous, des chiens perdus, on les emmerde, nous, les chiens perdus, monsieur le livreur! On les emmerde! Voilà pourquoi on est là, parce qu'on emmerde les chiens perdus et on veut savoir d'où vient le vent!

Le livreur s'en alla. Wahab redevint calme. Il était fatigué.

— Allez, mon vieux Colin, tu dois y aller, tu vas être en retard pour de bon.

— Et toi, Wahab, tu ne viens pas?

— Non.

— Qu'est-ce que tu vas faire?

— Foutre le camp.

— Pourquoi tu ne veux plus aller à l'école?

— Parce que je vais me faire engueuler, et je ne veux plus me faire engueuler. Demain, je rentrerai peut-être. Je ne sais pas. Colin, j'ai besoin de toi...

— Mon vieux ! Mon vieux !

— Écoute-moi.

— Je suis là.

— Tu vas aller rassurer mes parents. Tu vas aller rassurer monsieur Guettier. Tu vas aller rassurer tout le monde.

— Les rassurer ?

— Oui. Va leur dire que tu m'as vu et que j'ai décidé de faire une fugue. Dis-leur que je n'étais plus heureux à la maison, que je me sentais brimé, que je me sentais abandonné car je redoute le divorce de mes parents... tu vois le genre de conneries qu'il faut leur raconter. Que je ne rentrerai pas tout de suite. Qu'en fait, je ne rentrerai plus. Que je suis parti en voyage... pour réfléchir... sur mon avenir... en train...

— En train ?

— Oui. C'est ça. En train. Tu m'as accompagné jusqu'à la gare, on s'est dit au revoir, toi du quai, moi de la fenêtre, le train a sifflé puis tu m'as vu disparaître, noyé par la vapeur et le brouillard... et s'ils te posent des questions sur l'argent, dis-leur que je t'ai obligé à me refiler ton argent de poche... bref, invente des détails pour qu'on te croie.

— Tu penses que ça va les rassurer si je leur dis ça ?

— Oui, un peu, je pense.

— Bon ! Mais je ne leur dirai pas que le train a sifflé parce que les trains ne sifflent plus.

— Raconte ce que tu veux. Et si tu vois qu'ils ne sont pas rassurés, dis-leur que je vais leur envoyer des cartes postales.

Il y eut un silence. Colin se serra contre Wahab. Il se mit à tomber une pluie fine.

— Ils ont tous dit que c'était moi, ton meilleur ami, Wahab.

— Et toi ?

— Quoi moi ?

— C'est qui ton meilleur ami ?

— Moi, mais c'est toi, c'est toi mon meilleur ami.

Wahab avança le visage sous la pluie.

— Colin...

— Oui, Wahab ?

— Résiste un peu. Fais-toi engueuler pour parler et puis fais semblant que tu me trahis. Ils te croiront plus.

— D'accord.

— Ne sois pas énervé, paniqué... parle d'une voix monocorde, n'essaie pas d'être bouleversé. Sois doux. Réponds à toutes leurs questions. Quand tu ne sauras pas quoi dire, dis : «Je ne sais pas.» Ça fait très bien de dire : «Je ne sais pas.»

— Cette nuit, au téléphone, à monsieur Guettier, je n'ai pas dévoilé ton secret. Tout à l'heure, je vais leur raconter toutes sortes d'histoires, que tu es parti dans un pays lointain et toutes ces sortes de choses, mais la seule parole vraie, ils ne la connaîtront pas. Je te le jure.

— Quel est ce secret que je t'ai confié, Colin ?
j'ai oublié...

— Que tu es fou.

Wahab s'endormait. Colin devait repartir. Il
sortit une clé de sa poche et la posa dans la main
de Wahab.

— Écoute. Chez moi, il n'y a personne.
Ma mère travaille jusqu'à six heures et elle ne
rentre pas à midi. Tu pourras dormir dans mon
lit, prendre une douche... ce soir, je viendrai te
réveiller. D'accord ?

Wahab accepta. Il regarda Colin et fut surpris de
pouvoir le reconnaître. Tout cela tenait du miracle,
Wahab le réalisait à présent. Il ne parvenait pas
à comprendre comment, depuis tant d'années,
chaque fois qu'ils se rencontraient, il réussissait à
reconnaître le visage de son ami. J'avançais à pas
lents sur une corde raide. Si je ne suis pas tombé,
ce n'est dû qu'à l'inconscience de mon esprit qui
m'a fait marcher droit. À présent, il n'y a plus
rien d'autre à faire que tomber. Je vois le vide
de chaque côté ; j'avance un pied, un seul, et c'est
la chute. Un jour je ne reconnaîtrai plus Colin.
C'est dans l'ordre des choses. Je vais faire partie
de ce grand malentendu. Les symptômes sont
là. Les indices de la misère à tous les coins. Pour
moi tout seul. Rien que pour moi ! Je suis atteint
d'une maladie mortelle puisque incompréhensible.
Elle me met à l'écart du quotidien de ma vie.
Je n'ai plus qu'à m'en aller. Je n'ai plus rien à
perdre.

— Dis-moi, Colin, sais-tu s'il y a une récompense offerte à celui qui me capture ?

— Je ne crois pas, non.

— Même pas de récompense...

— Ils n'ont peut-être pas encore décidé de la somme...

— Qu'est-ce que je fais de la clé ?

— Planque-la sous le paillasson.

Wahab remercia Colin et les deux garçons se quittèrent.

IL TOURNA LE VERROU. Il épia le moindre bruit. Personne. Il entra. Un courant d'air passait à travers les fenêtres entrebâillées du salon. Il longea le corridor jusqu'à la chambre de Colin où ils avaient passé de nombreuses soirées à jouer. Il ôta ses vêtements, ferma les volets, tira les rideaux, sauta dans le lit puis se coucha. Il pensa à sa mère morte d'inquiétude. Colin saura la rassurer, se dit-il.

Il s'abandonna à un sommeil sans rêves d'où émergeaient des mots, des phrases, résonnant en lui, incohérents et désordonnés, jusqu'à son âme endormie. La lumière ne me concerne plus. Le soleil ne m'atteint plus. Loin, loin, loin. Je m'endors. Vent. Pervenche. Judith. Je m'endors. Emporté par la fatigue, Wahab lâcha prise et sombra dans le silence de l'oubli. L'abîme. Un abîme dont il eut conscience avec la précision d'une lame de rasoir. Il sentit son cœur battre. Il se réveilla en sursaut.

Il y avait quelqu'un dans la chambre.

Wahab ne bougea pas. Il y avait quelqu'un. Il le sentait, il le savait, et sa frayeur était d'autant plus grande qu'il ne voyait personne. On est venu ! Qui est venu ? C'est pas possible, c'est pas possible, pensa Wahab. Couché sur le dos, jambes droites, les bras le long du corps, les yeux grands ouverts, il regardait le plafond. Il avait sué et suait encore. Il y a quelqu'un avec moi. Il n'osait plus bouger, ni tourner la tête, ni soulever une main, juste avaler sa salive. Épuisé par sa panique, il sombra dans le sommeil.

L'oubli de soi.

Il rouvrit les yeux et fut émerveillé par la douceur de l'obscurité. La chambre baignait dans une torpeur à laquelle il prenait part. Son esprit était reposé, son corps détendu. Pourtant, il y avait quelqu'un avec lui, du moins il en était convaincu, mais cette présence invisible ne l'effrayait plus. Il eut conscience qu'il n'était plus dans son lit. Mais au-dessus. Immobile, allongé sur le dos, Wahab lévitait au milieu de la chambre où tout était en ordre. Une main l'avait pris au creux de sa paume et l'avait arraché quelques instants à ses tracas ; là, flottant dans l'air, ses sens avaient retrouvé toute leur acuité. La nuit passée à dormir dehors et la longue attente dans la ruelle lui parurent sans importance. Je suis en vie, que peut-il m'arriver de mieux ? Une voiture passa dans la rue. Il y eut des cris, des crissements de pneus, des klaxons, des claquements de portières, des injures, d'autres cris, auxquels il demeura indifférent ; puis le vacarme devint plus réel, plus intelligible. Wahab sentit une force le tirer vers le bas. Il tenta de résister, mais la réalité l'entraîna vers le lit où elle le déposa. Aussitôt, tout bascula. Il fut, corps et âme, possédé par une terreur sans nom. L'horreur. La peau frissonna, brûlure intense, la sueur à nouveau, à nouveau les tremblements, la respiration rapide, entrecoupée, retenue... reprise... Il y avait quelqu'un dans la chambre. C'est Colin, il est venu me réveiller. Mais ce n'était pas Colin. Colin? appela-t-il. Aucun son ne sortit. Suis-je chez Colin? Il entendit des pas dans le corridor. Des pas lents. Bois contre bois, Wahab se mit à grincer des dents. Elle arrive! Elle arrive! Où suis-je? Peut-être que je suis tombé dans un trou étrange, et me voilà dans un autre temps, un autre lieu! Je vais mourir, je vais mourir! Elle est là! La femme aux membres de bois est là, dans la chambre, avec moi. Je ne la vois pas, mais je sais qu'elle est là! Je l'entends! Ses pas se rapprochent. Maman! Maman! Wahab regarda vers la gauche. Ses yeux se portèrent sur les fenêtres, au fond de la chambre. Puis il ramena son regard et fut foudroyé. Son sang se figea. Son cœur éclata. Il émit un long râle, suffoqua, étouffa. Il voyait! Il savait! Quelqu'un dormait avec lui. Quelqu'un était là, couché sur le côté, lui tournant le dos. Ce n'était pas Colin. C'est elle, c'est elle, pensa-t-il. D'un mouvement lent, droit, fort, l'inconnu se redressa et s'assit sur le bord du lit. Il se leva et se retourna. Ce n'était pas la femme aux membres de bois. Il était grand, la peau bleutée par le jeu de l'obscurité. Une main cachait ses yeux et semblait protéger Wahab d'un regard trop difficile à supporter. Le cœur de Wahab battait si fort. Je vais mourir. L'inconnu alla se placer au pied du lit. Une phrase naquit dans la bouche de Wahab. Une voix, venue du plus intime de son être, hurla : « Ils se retrouvèrent face à face, l'enfant et l'ange, l'ange et l'enfant. » Wahab éclata en sanglots. Qui a dit ça ? Mais il n'arriva pas à formuler sa question. L'ombre de la femme aux membres de bois apparut, projetée contre les rideaux de la fenêtre. L'ange bleu sourit avec confiance. Il semblait réprimer un grand éclat de rire. Il fit un geste de la tête, recula, reprit sa lente marche et sortit de la chambre. Il va à sa rencontre, pensa Wahab. Il y eut un grand bruit, un fracas dans tout l'appartement. La femme s'en alla et l'ange disparut. Wahab bondit hors du lit. Faut que je foute le camp d'ici, hurla-t-il. Faut que je dégage, je suis en train de devenir fou, fou, complètement cinglé ! Putain... faut que je dégage... faut pas que la mère de Colin me trouve là. Qu'est-ce que c'est que ces conneries ? Je délire, c'est pas possible, je délire ! Il s'habilla. J'irai attendre Colin dehors, n'importe où, mais je me casse !

La porte de l'appartement s'ouvrit.

— Wahab, t'es là ?

— Colin !

— Dépêche !

— Qu'est-ce qu'il y a ?

— Ma mère va arriver, je suis en retard !

Wahab prit son cartable, enfila son manteau et se précipita jusqu'au bout du couloir.

— Alors ?

— C'est la panique, mon vieux, ils m'ont interrogé quatre fois, les mêmes questions... Monsieur Guettier, le directeur, la police, ta mère... sans compter les copains... C'est la panique...

— Oh, putain...

— Tu peux le dire...

— Ils t'ont cru ?

— Tu parles qu'ils m'ont cru ! Dès que j'ai dit que tu avais peur que tes parents divorcent, tout le monde est devenu vachement sérieux. Ils ont appelé toutes les gares, ils te croient parti, la police est sur les dents !

— Tu rigoles !

— Je te jure, mon vieux, je te jure !

— Tu ne t'es pas fait engueuler, toi ?

— Moi, on s'en foutait pas mal.

— Bon ! Ben, je vais dégager.

— Putain ! Merde ! Merde ! C'est la panique, mon vieux, c'est la panique !

— Et ma mère, tu lui as parlé ?

— Non, elle pleurait trop. J'ai parlé à ton frère.

— Tu l'as vu ?

— Non. On a parlé au téléphone.

— Bon. Ben, merci.

— Où vas-tu aller, Wahab ?

— Je ne sais pas. Je vais marcher.

— Tiens, prends, fit Colin en sortant une enveloppe de la poche de son manteau.

— Qu'est-ce que c'est ?

— C'est mon argent de poche, celui de Séguier, d'Alexis, de Normand, David, Jean, Pascal, Claude, Ferdinand, et puis celui des trois Champagne : Jules, Hubert et Arthur, l'argent de Caroline, Véronique et Cynthia qui voulaient participer. Séguier a dit non, elles ont demandé pourquoi. Séguier leur a dit qu'elles étaient des filles, alors elles lui ont dit Ta gueule, connard, ça a failli dégénérer, alors j'ai dit qu'il fallait qu'on pense à toi et on s'est tous calmés d'un seul coup.

— Ils savent que je suis là ?

— Ils ne diront rien, même Séguier a promis...

— Même Séguier...

— Oui, puis ils ne savent pas tout ; je leur ai dit que tu étais un enfant adopté et que tu avais besoin d'argent pour prendre le train et aller chez ton père qui vit dans une roulotte en banlieue, le long d'une ligne de chemin de fer. Et ils m'ont tous cru.

Il leva les yeux vers Colin et glissa l'enveloppe dans sa poche. Ils se saluèrent en silence, de la tête, et Wahab s'en alla.

En descendant les escaliers, il s'arrêta entre deux étages, s'assit sur une marche et se mit à pleurer.

LA BEAUTÉ

IL SUIVIT LA FOULE au milieu des chiens tenus en laisse. Son cartable sur le dos, il ressemblait à tous les garçons de son âge rentrant chez eux. Faudrait tout de même pas traîner, pensa-t-il, je dois quitter la ville, en sortir, m'échapper, pour gagner la campagne où les gens sont si accueillants, où l'on pourra me recevoir et me nourrir, me comprendre même. D'abord le métro, ensuite le train.

Une neige fine se mit à tomber sur les grandes avenues dans la frénésie de la fermeture des magasins et des embouteillages. Je ne veux pas faire partie de ce monde. Jamais. Tant mieux ou tant pis, je m'en fous. Il leva la tête vers le ciel absent de la ville. Le grand drap gris des nuages bâillonnait le soleil, et la terre, qui tournait, qui tournait, fit tomber le soir sur le visage des passants. Faut être un fou furieux pour accepter de vivre, pensa Wahab.

La station de métro était bondée. Évitant de s'adresser au guichetier, il se procura, grâce aux distributeurs automatiques, un ticket pour les banlieues les plus éloignées.

Les corridors menant aux quais étaient noirs de monde. Une foule bigarrée marchait d'un pas pressé, se séparant à chaque carrefour, descendant les escaliers ou les remontant, le regard aveugle, suivant un trajet quotidien ramenant chacun chez soi. Wahab monta dans un wagon. Les voyageurs étaient serrés les uns contre les autres. On pouvait se fixer dans le blanc des yeux mais le regard était fuyant. Une odeur âcre flottait dans l'air. Ça sent l'humain, pensa Wahab. Une odeur de fatigue, d'ennui, de tristesse, de peine, de malheur, de lassitude. Le mauvais temps dans la tête de chacun. Une dépression stagnante, sans fin. Wahab se faufila et alla se coller contre les portes donnant sur la voie.

Parmi les passagers l'entourant, il y avait une jeune fille. Elle parlait à un homme lui tournant le dos, chapeau sur la tête, manteau de laine sur les épaules, bien mis, rasé de près, un attaché-case à la main. Regarde-moi, disait-elle, regarde-moi ! L'homme ne réagissait pas. Faisant mine de ne pas l'entendre, il ne bougeait pas. Je m'en fous, tu vas être obligé de m'écouter, tu ne peux pas t'en aller, tu es coincé ici avec moi ! Sa voix était brûlante, ses mots en avalanche, elle s'adressait à l'homme et l'homme ne l'écoutait pas, ne semblait pas même la connaître.

— Que tu me regardes ou pas, je vais te dire ce que je pense : vous devez le faire exprès. Vous devez vous retrouver tous les soirs, et là, vous vous consultez pour inscrire au hasard dans un agenda mystérieux qu'entre six heures et quart et six heures trente, il faut m'engueuler et me faire chier. Chaque soir, vous êtes là, tous les quatre, pour me rappeler à quel point je suis une nullité profonde ! C'est pas possible ! Je veux dire statistiquement, ça ne tient pas ! J'en ai plein le cul ! Hier encore, quand maman m'a reproché ma paresse, personne n'a rien dit ! Vous êtes restés là, abrutis, avec vos gueules de harengs frits ! Juste le chien pour protester, il a aboyé... personne pour réagir, personne ne s'est levé pour me défendre... Pourquoi tu n'as rien dit ? Hein ? Réponds... Pourquoi ?

L'homme ne bronchait pas. Elle attendit un peu, espérant une réponse, un signe, un geste. Rien. Il fixait l'affiche publicitaire devant lui : « Chez Assure-Vie, nous assurons votre vie comme s'il s'agissait de la nôtre. »

— Réponds, merde ! Tu me fais chier, c'est pas possible ! Putain, tu m'écœures ! réponds ! Pourquoi tu n'as rien dit ?

Le métro entrait dans la station suivante.

— C'est ça ! Ferme ta gueule, ça va arranger les choses...

La jeune fille sortit du wagon. Mais tout juste avant la fermeture automatique des portes, on l'entendit lancer une dernière phrase :

— T'es con, papa. Con et lourd. Salut !

Le métro se remit en marche.

Embarrassé, l'homme tira un mouchoir de sa poche et s'épongea le front. Tout le monde le regarde, pensa Wahab. Pauvre type. Il n'est plus en mesure de reconnaître sa fille. Ce n'est pas sa faute. Il l'a prise pour une étrangère. Si j'avais un peu de courage, je lui parlerais, je lui dirais : Monsieur, vous n'êtes plus seul ! Venez ! À nous deux, nous ferons connaître aux Hommes cette maladie ! L'homme tourna la tête et croisa son regard. C'est vrai qu'il a une tête de con, ce mec... Si je lui parle de maladie, il va se fâcher. C'est pas du tout le style de bonhomme qui ne reconnaît plus le visage de sa fille. Il a l'air content de son chapeau... Il ne peut rien comprendre d'autre. Une vraie tête de con. Il doit écouter les nouvelles de vingt heures avant d'aller se coucher. Je ne lui dirai rien. Faut pas dépenser d'énergie pour sauver les têtes de cons. Rien à faire, rien à dire, puis nous voilà arrivés à la dernière station, trop tard pour quoi que ce soit.

Les passagers se précipitèrent vers les portes du wagon, la rame se vida et l'homme disparut, avalé par la foule, dans les couloirs des correspondances. Wahab choisit une ligne au hasard et monta dans le premier train de banlieue. Il roula longtemps, suivant un trajet non souterrain. Le front collé contre la vitre de la fenêtre, Wahab regardait défiler les terrains vagues des abords de la ville avec son cortège de murs de béton, de graffitis et de voitures. Dans une cour d'école, sur un terrain de handball, des garçons de son âge, en survêtements, jouaient au football. Il soupira. Pensa à Colin. Qui lui racontera la prochaine partie si je ne suis plus là ? Je le lui avais promis. Si on me rattrape, je lui raconterai en premier ma fugue. Ça compensera. La campagne n'arrivait pas. La banlieue était vaste. Je n'ai pas dû prendre le bon train.

Il arriva au terminus. Toujours des immeubles, des usines, des routes, des camions de marchandises stationnés en face de la gare et partout, partout, le même paysage éparpillé de tôles ondulées et de ciment ; de longues cheminées laissaient échapper des traînées de fumée noire se perdant dans l'obscurité.

Dans le hall de la gare, des gens étaient assis à terre. Ils somnolaient, certains couchés sur des couvertures, un chien leur léchant la figure. Une femme parlait au téléphone dans une langue étrangère. Il ne s'attarda pas et sortit de la station. Il y avait une grande place. Un autobus passa. Les cafés étaient fermés. Les rues allaient dans tous les sens et Wahab se sentit égaré. Il chercha à se repérer grâce au plan affiché sur un mur, mais il n'en tira rien, mis à part la direction du nord, indiquée par une flèche. La campagne est à l'est, je vais marcher vers l'est. Dans une épicerie encore ouverte, il acheta un pain, une bouteille d'eau et une grosse boîte de biscuits. Il me faudra penser à faire des économies.

Wahab n'avait pas sommeil et avançait d'un bon pas. Il marcha même avec allégresse. Il n'y aura pas de problèmes, j'en suis sûr... Être ici ou ailleurs, ce sera une question d'habitude, c'est du pareil au même, voilà tout... Il ne me sera pas difficile de trouver un petit village perdu où je pourrai commencer une nouvelle vie : marchant sur le bord d'un chemin, un paysan m'appellera pour l'aider à faire la moisson; sans rien dire, je me mettrai au travail... Le soir, dans la ferme, sa femme aura préparé un copieux repas, nous mangerons, nous nous coucherons, ce sera formidable. Le lendemain matin, le travail reprendra. Je m'occuperai de leur jardin. Je leur apprendrai à arroser, sans les noyer, les fleurs et les herbes délicates. Ils auront un chien. Je l'appellerai Boutros. Ils s'habitueront à ma présence, moi à la leur, je ne les quitterai plus. À leur mort, je leur tiendrai la main. Je devrai les enterrer dans le jardin, j'y ferai pousser un cerisier. Je retournerai parmi les hommes où l'on ne me reconnaîtra plus; tous seront pleins de respect devant mon ardeur et l'économie de mes paroles.

Dépassant la dernière maison, Wahab se retourna pour mesurer d'un coup d'œil toute la distance parcourue. Au fond, par-delà les usines de la banlieue, clignotaient les lumières de la grande ville qu'il venait de fuir.

La route plongeait à travers champs. Les arbres défilaient dans la tranquillité de l'hiver. Un clocher sonna la demie. Onze heures ? minuit ? Impossible de le savoir et cela n'avait aucune importance. Bientôt, il n'y eut plus de lampadaires. Plus de couleurs. L'opacité du monde. Wahab se mit à craindre les voitures et leurs phares aveuglants. Il quitta la route pour marcher au milieu d'un pré. Au bout d'une heure, il buta contre une clôture. La fin d'une propriété, pensa-t-il, et il sauta par-dessus. Vers le milieu de la nuit, il n'y eut plus de trafic. C'était le silence; le silence des forêts et des plaines... du poids de son corps sur la terre gelée. Il s'arrêta pour écouter, mais il n'écouta pas. Mes rêves me semblent parfois si réels. Si j'essayais de me réveiller! Rien à perdre! Il essaya, fit des efforts, garda ses yeux fermés, les rouvrit, mais il ne s'éveilla qu'à sa solitude. Il était au milieu d'un champ, piqué par la neige, son souffle résonnant dans ses oreilles.

Il regagna le chemin asphalté. Il marcha dans l'espoir de trouver une indication routière donnant le nom du prochain village. Au bout d'une ligne droite s'étalant sur plusieurs kilomètres apparurent les phares d'un véhicule. À nouveau, il quitta la route pour retrouver les champs où l'obscurité était grande. Il entendit les chants des oiseaux passer au-dessus de sa tête. Il s'arrêta. Le bruissement de leurs ailes effeuillait l'air. Un chuchotement rapide et soyeux. Se remettant en route, Wahab s'assomma contre une paroi dure. Doucement, doucement, pensa-t-il. Il posa les mains sur l'obstacle. Écorce. C'était un tronc, large et creux, à l'intérieur duquel il se glissa pour s'abriter de la neige. Là, dans le ventre de l'arbre, assis au chaud, blotti, épuisé, il s'endormit.

Il revint à lui. Au-delà de la brume, le soleil s'était dressé, pâle, humide, trempé de lumière.

Les nuages, à perte de vue, bouclaient les horizons, empêchant le chant du jour d'imposer ses teintes. Un crachin tombait sur toute l'étendue de la campagne. Wahab regardait le monde. On m'a menti à son sujet.

Il passa la journée lové au creux de l'arbre. Il mangea le pain, avala les biscuits et but la bouteille d'eau. De sa cachette, il voyait parfois passer une silhouette au bord de la route, mais personne n'approchait. Vers la fin de la matinée, un ciel gris s'étala jusqu'à l'horizon. Une bruine froide dansait, imperceptible, éteignant les couleurs du monde, minant sa volonté. Quel jour sommes-nous ? Cette question l'occupa une partie de l'après-midi. Il commença un raisonnement interrompu par de fréquentes somnolences. Il le reprenait à chaque éveil, s'appuyant sur des indices et des souvenirs différents. Quel jour sommes-nous ? On est... on est... Wahab se rendormait, se réveillait, laissait aller sa pensée. Avec la tombée du soir lui revint à l'esprit une phrase prononcée par la femme à la longue chevelure blonde : « Les mercredis, ton frère Nidal va à ses cours de prière ! » Ça, c'est le soir de mon anniversaire... donc mercredi c'était la journée de mes quatorze ans, la journée de l'homme à la pervenche, jour du cadeau, jour de la clé... Jeudi je suis allé manger chez Judith, jeudi j'ai dormi sous le pont de pierre... Vendredi chez Colin, avec l'ange bleu, ce matin dans le creux de l'arbre. Samedi. Samedi. On est samedi. Bon. Super... je fais quoi maintenant ? Quelle importance d'être samedi ou lundi, ou merde de merde... de toutes les manières, le temps ne joue pas en ma faveur... aujourd'hui sans doute on me rattrapera ! Mais on ne me rattrapera pas. Personne ne sait où je me trouve, personne au monde. C'est vrai ça... là-bas, dans les pays lointains, où le soleil ne se fatigue jamais, les gens ignorent même mon existence. Pourtant, moi, je pense à eux... Je pense, par exemple, à Vladivostok. Là-bas, des gens marchent dans les rues, ils existent, ils ont leurs tracas et leurs soucis ! Moi, de ce point si perdu, je pense à eux tous... Tous ! Par contre, il est peu probable que quelqu'un, une personne, une seule, sortant de la gare de Vladivostok, soit en train de se dire : « Je veux penser à ce garçon blotti dans le ventre de l'arbre. » Personne ne pense à moi. Mes parents, oui. Mais ils ne pensent pas à moi avec sérénité. Ils doivent tempêter et pleurer... La vie pour moi tout seul...

Une froide averse se mit à tomber, cognant contre l'arbre, le faisant résonner. Tant de musique mit fin à son ressassement. Il se détendit. Abandonnant les obsessions où se débattait sa pensée, il ne songea plus à sa mère, ne songea plus à l'école, ni à Vladivostok, ni à la fragilité de sa situation. Il ferma les yeux. Dormit. Sommeil sans rêve. Une pierre qui tombe.

À son réveil, il ne pleuvait plus. La nuit était là. Ciel dégagé. Lune blanche et pleine... À hauteur d'horizon, des éclairs illuminaient les régions éloignées où il s'apprêtait à pleuvoir.

Wahab se glissa hors de son trou. Il se retourna. L'arbre mort, main géante de vieillard, sortie du sol, ouverte vers le ciel, était seul au milieu d'un champ immense.

Il espérait arriver au premier village à la levée du jour. Il suivit un sentier à la lisière d'un bois se dressant à sa droite. À sa gauche, un fossé le séparait des plaines dont le relief se perdait dans les plis mauves de la nuit finissante. En marchant, son regard fut attiré par une tache claire à une vingtaine de mètres. Il approcha et trouva, au milieu du sentier, une fleur blanche. Elle lui sembla si fragile dans sa splendeur. Si miraculeuse au milieu de l'hiver, incompréhensible par sa solitude. Wahab regarda à l'entour. Rien. Pas d'autres fleurs. Il se mit à quatre pattes et se pencha pour la sentir. Un parfum doux, à peine perceptible. Il se releva et reprit sa route. Elle était belle, pensa-t-il. Il s'arrêta. Ma mère aussi était belle. De son cartable, il sortit son cahier d'histoire, un crayon, et, debout au centre du monde, au clair de la lune, il tenta de retrouver les traits continus et lumineux de sa mère. Mais Wahab ne savait pas dessiner. Pas encore, pensa-t-il, suffit de s'exercer, de ne pas lâcher. Continuer. Il recommença à être engourdi par le froid. Ce n'est pas grave, se dit-il, je serai patient. Il rangea ses affaires et reprit sa marche. Je réessaierai plus tard. En attendant, il essaya dans sa tête. Une nuit, peut-être, ma mère me réapparaîtra en rêve. Son visage retrouvé deviendra le ciel de mon sommeil, le ciel sur lequel iront s'imprimer les images de mes délires, et au réveil, plein de son souvenir, je réessaierai de la dessiner, la tirer du néant.

Au détour du chemin, il vit la campagne éclater de lumière annonçant l'avènement du premier rayon du jour. Je finirai par arriver dans un village. Là, j'irai trouver la police et c'est tout. Et merde. Il arrivera ce qu'il arrivera, je ne me ferai pas chier. Je m'en fous si on m'engueule. Je m'en fous. De toute façon, on ne m'engueulera pas ! Je suis parti trois jours. C'est énorme, trois jours ! Ils doivent tous me croire mort ou quelque chose... On ne me grondera pas. Ils vont même être super contents de me voir. De toute façon, qu'ils m'engueulent ou qu'ils m'engueulent pas, je les emmerde. Mais on ne m'engueulera pas. Au contraire. On prendra soin de moi. On s'assoira à mes côtés, on me parlera, on me posera des questions, on écoutera mes réponses.

Il s'arrêta pour scruter la campagne. À plusieurs reprises, il crut distinguer une maison dans les formes trapues des rochers ou des buissons. Rien. Ni personne. Plus de références, pas même le moindre sens de l'orientation. Il ne désespéra pas. Le matin était si radieux. Chaud, léger. Cela préfigurait le printemps, la promesse d'une liberté à venir. Le jour semblait éternel, une vague s'étalant dans la clarté du ciel. Le soleil prenait désormais toute la place.

Vers midi, le sentier s'arrêta net au bord d'un ravin montrant, à travers un désordre d'arbres nus, une vallée profonde. Aucun tracé ne semblait y mener. Wahab décida de couper au plus court et s'enfonça dans le bois. Des herbes hautes lui barraient le passage. Il trébucha à plusieurs reprises, glissa sur la terre boueuse, s'accrocha aux orties. Les arbres du bois l'encerclaient, les branches le bousculaient, les troncs l'étouffaient. Tous ces arbres, pensa Wahab. Il reconnaissait les sapins, mais cela s'arrêtait là; pour le reste, bien qu'il fût au courant de l'existence des chênes, des peupliers, des cèdres, des hêtres, des bouleaux et de la majorité des arbres fruitiers, en aucun cas il n'aurait été en mesure de les différencier les uns des autres, et encore moins de deviner s'il y en avait dont le nom lui était familier. Ce sont peut-être des érables, se dit-il, mais de sa vie il n'avait vu un érable, et pour dire la vérité, érable ou pas, je n'en ai rien à foutre, je veux juste sortir d'ici ! Il poursuivit sa descente pour aboutir dans une clairière. Épuisé, tremblant, il se dirigea vers un énorme rocher blanc sur lequel il grimpa pour étudier le reste du paysage. Le fond de la vallée semblait proche, mais il ne s'y fia pas : j'en ai encore pour au moins une heure. Il se laissa tomber sur le rocher. Il commençait à avoir très faim. Il entreprit de faire le ménage des poches de son manteau. Il sortit l'argent donné par Colin, le compta, le rangea. Il jeta quelques tickets de métro, des mouchoirs et des bouts de ficelle; il contempla la clé de la porte d'entrée dans son petit étui d'argent. Y a rien à comprendre, pensa-t-il en retrouvant, dans la poche intérieure, la barre de chocolat glissée par la femme à la dentelle. Sa tristesse fut balayée d'un coup. Il se coucha sur le rocher, posa son sac sous la tête et, la tête dans le ciel et le ciel plein de soleil, il croqua dans sa tablette en savourant chaque bouchée.

Dans le ciel, pas d'oiseaux. L'existence massive de la lumière. Le temps passait, mais pour Wahab, son passage avait pris une tournure différente : il n'était plus cette ligne droite et plane faisant tenir, telle une infinité de perles sur le fil du collier, toutes les réalités ciselées de sa vie : maison, école, devoirs, télévision, examens, jeux, récréations... Au contraire. Il était à présent ce soulèvement furieux d'une tempête nocturne aux confins de glace d'un océan ravagé. Des vagues en lames de rasoir. Le chaos. Le temps lui montrait sa véritable figure. Il était ce cheval gigantesque et noir dont l'œil, ouvert par la colère, le regardait de haut. D'horizontal, il était devenu, par la grâce d'une compréhension nouvelle, vertical; plus il passait, plus le vertige était affolant, d'autant plus qu'il semblait prendre appui tout entier sur le cœur de cette femme à la longue chevelure blonde, sa mère, l'attendant sans doute la folie au ventre, sa mère défigurée, disparue. Et lui, Wahab, par l'incompréhensible folie de sa fuite, pesait de tout son poids sur l'inquiétude animale de cette femme. Le temps se réclamait d'une vie tragique et non plus passagère, un temps à contretemps de tout ce qu'il avait connu jusque-là. Je serai un mauvais homme, pensa-t-il, les yeux plantés dans la profondeur du ciel. Il avait dans la gorge le goût chaleureux du chocolat. Tant de bonheur soudain. Mais les deux jours passés lui avaient appris à se méfier de ces petites extases ponctuelles, car elles étaient évanescentes et faisaient place trop souvent à des crises le clouant au sol même de sa peur. De toutes les façons..., pensa-t-il. De toutes les façons... Je fais partie du camp des vaincus, autant en profiter. Pas d'autre solution. Il me reste beaucoup d'années à vivre. Il se mit à rire et éprouva un besoin pressant d'ouvrir une fenêtre. Allongé de tout son long sur le dos plat du rocher, il était ivre devant la pureté du ciel. Pas de nuages, pas de nuages. Le ciel pour cerveau. Il n'y avait plus de distance, plus de sens même à l'horizon, noyé par la grande coupole de cet univers vers lequel Wahab tombait, tant son étourdissement était grand. Une vie souterraine en plein ciel. Peinture, pensa-t-il. Il voulut fermer les yeux. Au lieu de cela, il les ouvrit pour se réveiller de son brusque sommeil. Je rentre chez moi.

Pour quitter le bois, il lui fallut atteindre le bas de la vallée. Là, les derniers arbres se raccrochaient de toutes leurs racines aux limites d'un fossé abrupt, au fond duquel il aperçut l'eau brunâtre d'une rivière. Un jour ou l'autre, se dit Wahab, ils n'en pourront plus, ils craqueront et iront s'écraser aux abords de la rivière. Ces arbres n'avaient rien à voir avec les marronniers taillés des squares où il lui arrivait de jouer avec ses camarades de classe. Arbres domestiques, arbres sauvages, pensa-t-il. En face, sur le versant opposé, se dressait une montagne. Elle prenait appui sur des rochers monstrueux sortis de la rivière et dont la base, creusée par le courant, montrait des cavités profondes, gueules déchirées d'animaux préhistoriques, sculptés dans la pierre.

Wahab choisit de suivre le sens du courant. Il semblait mener vers un espace dégagé. Là, je saurai trouver un sentier, un chemin, une route asphaltée... un village m'apparaîtra et j'irai demander de l'aide. Il releva la tête et fixa la montagne. En amont, le paysage se complexifiait à travers le dédale d'une forêt. Par là, je trouverais peut-être un trésor protégé par quelques monstres fabuleux. Je serais un héros... Mais les héros n'existent pas, ou seulement au fond de mes livres d'histoire. Pas de consolation, pas de consolation. Rien. C'est-à-dire rien. Quelquefois une soucoupe volante dans le ciel de mon cerveau pour faire passer le temps. C'est tout.

Il se laissa glisser le long du fossé pour atteindre la rive rocailleuse et se mit en route. Il marcha pour sortir du bois, vers l'ouverture du ciel, vers la lumière.

C'est maya qui, la première, le vit arriver. Plus tard, elle le dira.

Elle était à la fenêtre, le regard accroché au vol des oiseaux, et lorsque Wahab surgit au bout de la route, ce fut un incendie. Il avançait de son pas fatigué, épuisé par sa longue marche. Après avoir suivi le fil de la rivière, il avait croisé, au sortir d'un sentier, une route. Elle le conduisit à travers champs vers une ferme se dressant sur la ligne brouillée de l'horizon.

Il frappa trois coups à la porte. Pas de réponse. Il attendit. Il frappa encore. Toujours rien. Il se rappela ces jours où, au retour de l'école, il lui arrivait de patienter de longues minutes devant chez lui. Un autre monde. Ce monde n'a peut-être jamais existé, pensa-t-il. Et là, sur le seuil de cette maison solitaire, au milieu d'une campagne houleuse, il attendait encore. Ça suffit, j'en ai marre ! Et d'un geste, sans même penser à la possibilité qu'elle puisse être fermée à clé, il tourna la poignée et il ouvrit la porte de la maison.

Il entra, referma la porte et demeura immobile dans l'entrée.

— Bonjour, il y a quelqu'un ?

La maison craqua. Wahab ne voyait rien. Ses yeux tardaient à s'habituer à la pénombre. Il porta sa main au mur, trouva l'interrupteur et alluma la lampe du plafond. Une jeune fille en larmes le regardait ardemment.

— Tu es revenu, lui dit-elle, tu es revenu ! Et dans un mouvement, une danse, elle s'évanouit et tomba à ses pieds.

Il ne bougea pas, tétanisé par cette apparition. Tu es revenu ! Elle m'a dit : Tu es revenu ! Je dois être de retour chez moi ! Le cycle des métamorphoses a dû se poursuivre durant mon absence... Je ne suis pas en pleine campagne, mais au milieu de la ville et cette fille doit être ma sœur, heureuse de me revoir, si heureuse qu'elle s'est écroulée de bonheur. Mademoiselle, mademoiselle... Elle ne se réveilla pas. Il avança un pas vers le corps évanoui. La porte s'ouvrit derrière lui. Une voix lança :

— Maya, tu viens ? On t'attend pour la photo...

Un homme entra. Wahab se retourna.

— Ce n'est pas moi ! J'ai rien fait ! Je suis entré et elle s'est évanouie !

— Maya ! hurla l'homme, et il tomba à ses pieds.

Il la souleva, la coucha sur un canapé, répétant sans cesse : Ma petite, mon amour, mon trésor. Elle revint à elle. Il l'embrassa, la prit contre lui, soulagé. Maya regarda Wahab. J'ai déjà vu ce regard, pensa-t-il. L'homme le fixa à son tour. Sa colère était grande. Wahab voulut fuir. Il était trop tard. L'homme se redressa, l'attrapa et le plaqua contre le mur.

— Qu'est-ce que tu lui as fait?

— J'ai rien fait! J'ai frappé à la porte et personne n'a répondu... Je suis entré, elle m'a vu, elle s'est évanouie, mais je ne lui ai rien fait, monsieur, je vous jure!

— Et pourquoi tu es entré si personne ne t'a répondu?

— Lâchez-moi!

— Qu'est-ce que tu es venu foutre ici?

— Je me suis perdu...

— Ah ouais!

— Oui!

— Ne te fous surtout pas de ma gueule, petit connard!

— Mais je vous jure... Je me suis perdu, monsieur, je vous jure, c'est vrai, merde, je voulais rien voler, je voulais rien faire, je voulais juste me reposer, boire un peu d'eau...

— Et d'où tu sors d'abord?

— De la ville, la grande ville, je ne suis pas d'ici... Je voulais demander mon chemin, je vous dis! Je vous jure, c'est la vérité. S'il vous plaît, monsieur, s'il vous plaît... Je suis fatigué, tellement fatigué...

L'homme relâcha Wahab.

— Qu'est-ce que tu fabriques par ici tout seul?

— Je ne suis pas seul... en fait... C'est avec l'école... j'étais en classe de plein air... on est venus pour étudier les arbres... je me suis éloigné et je me suis perdu.

— On vous envoie à l'école même le samedi après-midi ?

— C'est une école spéciale. Pour les élèves très doués. On a des cours pratiques les samedis après-midi.

— Et toi tu es un élève très doué ?

— Oui.

— Comment tu t'appelles ?

— Colin, monsieur.

— Colin... un enfant très doué qui effraie les jeunes filles en entrant dans les maisons sans y être invité !

Il retrouvait son calme.

— Je suis désolé, monsieur, je ne voulais pas lui faire du mal, je ne voulais pas l'effrayer... je voulais juste...

Wahab se mit à pleurer.

Troublé, l'homme s'approcha et tenta de le consoler. Il posa une main sur son épaule.

— C'est pas grave, Colin, lui dit-il, calme-toi ! Calme-toi ! Ne pleure pas... j'ai été surpris en te voyant... Je me suis fâché... j'ai paniqué en voyant ma fille évanouie... allez, ça va... ça va... c'est passé... pardonne-moi... je ne voulais pas t'effrayer... tu es le bienvenu ici, Colin... ne pleure plus... Tu n'es pas un voleur, pas non plus un menteur... je sais... ne t'inquiète pas... Ça va ?

— Oui, monsieur.

— Bon.

Maya ne disait rien. À nouveau, Wahab croisa son regard. J'ai déjà vu ce regard. Maya lui sourit. Sa douceur le calma. L'homme se rassit.

— Maya et moi devons aller rejoindre des gens pour une photo de mariage. Attends-nous ici. Je reviendrai, je te ramènerai chez toi.

— D'accord !

— Tu veux prendre une douche ?

— Oui...

— Tu es un peu trop sale pour un garçon qui va dans une école d'enfants très doués.

— Oui... C'est vrai...

— Tu n'as pas d'habit de rechange, je parie...

— Non, monsieur.

À cette réponse, l'homme demeura muet. Il posa une main sur son front et dit Mon Dieu ! Cela semblait catastrophique.

— Ce n'est pas grave, monsieur...

— Si, c'est grave !

— Mais non ! Je remettrai mes habits...

— Tais-toi ! Tais-toi ! Tu ne te rends pas compte... Petit connard ! Tais-toi ! Tu arrives d'un seul coup, tu es sale, tu veux prendre une douche et tu n'as pas d'habit de rechange... Et tu me dis ça à moi !

— Mais c'est vous qui m'avez proposé de prendre une douche, si ça dérange je n'en prendrai pas, c'est pas grave...

L'homme s'assit, se prenant la tête à deux mains.

— Excuse-moi, Colin, excuse-moi ! Mais tu ne réalises pas à quel point ton arrivée ici est un signe du destin. Viens.

Il le mena le long d'un corridor et s'arrêta devant une porte close. Il demeura immobile. Il posa sa joue contre le bois de la porte. Il semblait prier. Ses lèvres remuaient. Ça fait si longtemps, murmura-t-il... Wahab n'était pas certain d'avoir entendu... Ça fait si longtemps, si longtemps, et maintenant il faut essayer de tout oublier... Je croyais avoir tout oublié, et là, en entrant dans la maison, je t'ai vu. J'ai pensé : C'est lui, il est revenu ! Tu comprends ? Tu comprends ? Est-ce à moi qu'il parle ? se demanda Wahab. Tu ne peux pas comprendre ! ajouta le père. De nouveau, il se tut, serra le poing, ouvrit la porte et entra dans la pièce.

C'était une chambre d'enfant avec des images de champions sportifs accrochées aux murs, quelques livres dans une bibliothèque et, sur un bureau, une maquette d'avion inachevée. Des habits traînaient sur le sol, le lit était défait... Malgré les couleurs, tout était gris, poussiéreux. Un monde en suspens. Wahab en était estomaqué. Le souvenir original de ma mère doit ressembler à cela : effacé, mais pas perdu, perdu, perdu... Wahab n'osa rien toucher. Tout ici lui semblait vivre une vie ancienne et exister grâce à un quotidien devenu fantomatique. Monde invisible. Le père émit une plainte profonde et violente, mais il se redressa avec force, ravala sa peine et, sans regarder ni les objets ni le lieu, il tituba vers une armoire d'où il retira un pantalon, une chemise et des sous-vêtements. Il les porta à ses yeux, essuya ses larmes, sentit le tissu.

— Ça devrait convenir... Il avait ta taille.

Il parlait d'une voix blanche, éteinte, vieillie. Ils ressortirent de la chambre, l'homme referma la porte.

— Viens. La salle de bains est juste là. Tu trouveras des serviettes dans la petite armoire.

Wahab se lava, se sentit revivre. La chaleur, la buée, le savon et son parfum, tout cela était si bon ! Il laissa ses vêtements dans un coin. Il mit les sous-vêtements. Je m'habillerai plus tard. Il voulait se coucher. S'écrouler. Ne plus penser. L'oubli du monde. Arrivant dans la pièce centrale, il fut surpris d'y retrouver l'homme et la jeune fille assis côte à côte.

— Colin, j'aimerais te demander une faveur.

— Bien sûr !

— Cela me ferait très plaisir si tu nous accompagnais pour la photo de mariage. Maya serait heureuse, je crois.

Gêné par sa tenue, Wahab s'habilla. Il mit le pantalon, enfila la chemise, attacha chaque bouton. Me voilà un autre. Qui suis-je ? Il les regarda. Tous deux étaient suspendus à ses gestes. Mon Dieu ! dit l'homme. Tu es un cadeau du ciel. Il faut que Jeanne te voie ! Maya se leva. Elle s'avança, souriante, ravissante, apparaissant à Wahab dans son éclatante beauté. L'un en face de l'autre, ils ne bougèrent pas. La métamorphose me guette, pensa-t-il. Me voici devenu un personnage d'un vitrail contemplant un autre personnage, sur un autre vitrail, identiques aux rosaces de la cathédrale visitée l'an passé. L'homme se leva.

— En route.

L'HOMME MARCHAIT, les deux enfants suivaient. Wahab tentait de régler son pas sur celui de Maya, mais elle ralentissait, demeurant en retrait.

— Il y a un mariage ?

— Le mariage d'une nièce, répondit l'homme.

Maya était demeurée silencieuse. Elle leva la tête, se rapprocha de Wahab et prit sa main qu'elle tint serrée dans la sienne.

— Et toi, Maya, quel âge as-tu ?

— Maya a quatorze ans.

A-t-elle vécu la transformation ? Il aurait voulu réentendre sa voix.

— Maya est-elle sourde ?

— Non. Maya n'est pas sourde. Maya entend. Mais Maya ne parle pas. Tu peux lui parler si tu veux, mais elle ne te répondra pas.

— Pourquoi ?

— On ne sait pas. En huit ans, elle n'a pas dit un mot.

Elle lui avait pourtant parlé. Elle avait dit : « Tu es revenu. » Elle l'avait même dit deux fois. Il exagère sans doute, se dit Wahab, elle doit parler, mais lui ne l'entend plus. Moi, je ne reconnais plus ma mère. Chacun son trajet.

Ils traversèrent un champ. Au loin s'élevait une grange devant laquelle on dressait un grand banquet. Une rumeur joyeuse leur parvint. Une foule nombreuse s'activait. Quelqu'un les vit arriver et lança à pleins poumons Les voilà, préparez-vous, on va pouvoir prendre la photo !

— C'est ma femme, dit l'homme.

Maya fit un signe de la main. La mère répondit à son salut et vint à leur rencontre. Apercevant Wahab, elle s'arrêta, statufiée. Malgré la distance, ils devinèrent son ébranlement. Ne bougez pas, ordonna le père, je dois la prévenir. Il n'avait pas fait un geste, la femme s'était mise à courir, s'était mise à crier, et ce qu'elle criait était incompréhensible. Wahab entendait : Julien ! Julien ! Elle hurlait un nom. Un nom de tendresse, un nom de peine et de douleur. Le père eut beau l'appeler, la conjurer, tenter de la calmer, Jeanne, Jeanne, ce n'est pas lui, ce n'est pas lui... Rien n'y fit. Elle courait les bras ouverts. Il eut beau la retenir, s'accrocher à elle pour stopper son élan, elle le repoussait. Elle tomba, se releva, courut encore pour aller s'écrouler aux pieds de Wahab : Julien ! Ce n'est pas Julien, disait l'homme, il s'appelle Colin, il s'appelle Colin ! Wahab regardait la femme. Il vit l'espoir se briser dans ses yeux, tomber en flaque sur ses joues fiévreuses. Elle le serra dans ses bras, caressa ses habits, répétant sans cesse Julien, Julien.

160

— C'est un enfant perdu... Ce n'est pas Julien, répéta l'homme.

— Perdu ?

— Il s'appelle Colin. Je suis arrivé à la maison, il était là... Il était égaré. Il cherchait son chemin.

— Et les habits ! Les habits, Jean...

— Il était sale, il n'avait rien pour se changer...

— De loin, j'ai cru...

— Je sais...

— Tu as été dans la chambre ? Tu as ouvert la porte ?

— Il faut en finir, Jeanne...

On les appela à nouveau. L'homme releva sa femme, la prenant dans ses bras. Viens, Jeanne, on nous attend ! Maya se serra contre Wahab et Wahab était devenu spectateur de sa propre vie. Julien est mort, pensa-t-il. Je suis son fantôme.

On les accueillit avec des cris de satisfaction et des plaisanteries ; on s'impatientait, on avait faim et soif et on voulait fêter, mais il fallait en premier lieu immortaliser la cérémonie. Le photographe prit les choses en main.

— Vous fermez vos gueules et vous m'écoutez parce qu'on va pas rester ici jusqu'à demain, les mariés ont des choses à faire ce soir, et le carré d'agneau ne semble pas piqué des vers ! Les grands en arrière et les petits devant et que ça saute et je ne veux pas en voir un s'en aller pisser ! On prend la photo tout de suite ou je vous laisse vous arranger, nom de nom !

Ce fut un branle-bas de combat. Au milieu des rires, des cris et des plaisanteries, on se rassembla autour des mariés; lorsque tout le monde fut prêt, une femme releva ses jupes, une autre lança des fleurs, et un homme arriva, tirant avec lui deux vaches, les forçant, au milieu des rires, à se tenir derrière les mariés. Un enfant pleurait, un prêtre riait, le ciel s'éteignait. On prit la photo, Wahab se tenait souriant, entre une vache et le doux visage de Maya dont la main n'avait pas lâché la sienne.

Il passa l'après-midi au milieu de cette fête étonnante. Maya ne le quitta pas. Tous deux étaient assis. Pas de mensonges entre elle et moi. Wahab ne bougeait pas pour ne rien briser. On vint le voir, on lui parla, quelques enfants l'invitèrent à jouer, mais il refusa. Demeurés seuls, il se pencha vers elle.

— Dis-moi, Maya, la journée de tes quatorze ans, s'est-il produit un phénomène incroyable?

Elle ne lui répondit pas. Elle serra sa main davantage. Une manière de le rassurer. Alors il lui dit son vrai prénom. Et Maya lui fit un sourire. La fête se poursuivit. Avec la fin du repas, une musique tonitruante s'échappa des haut-parleurs. La foule au complet se leva d'un bond et l'on rassembla les tables pour former une estrade profonde de plusieurs mètres. La mariée ouvrit le bal : elle arracha son voile, releva les pans de sa jupe, ôta ses escarpins et grimpa sur cette scène improvisée pour débuter une danse frénétique, entraînant avec elle le marié. Les invités se rassemblèrent pour les accompagner et les encourager dans leur bonheur. Plusieurs bouchons de champagne sautèrent et les nouveaux époux furent arrosés.

Wahab pensait à sa mère. Où est-elle ? Que s'est-il passé ? Je n'en sais rien. Je nage en plein rêve... Rien de tout ça n'est vrai ! Je délire. Seule la main de Maya donnait un peu de réalité à son existence. Côte à côte, ils avaient l'attitude mélancolique des statues. Ils devenaient complices des oiseaux.

— Regardez, disaient certains, Maya a trouvé son fiancé ! Pourquoi ne pas les marier ? Le curé est encore là... Saoul, mais là !

Et l'on riait, et on les taquinait ! Wahab s'en moquait. On m'a reconnu, c'est sûr. Tous ces gens ne m'ont jamais vu de leur vie, n'ont jamais entendu parler de moi, et là, je débarque. Il posa la question à Maya. Elle se tourna vers lui, le regarda dans les yeux. J'ai déjà vu ce regard... J'ai déjà vu ce regard... Est-ce de l'amour ? se redemanda Wahab, est-ce de l'amitié ? Peut-être un peu des deux, semblait dire le regard de Maya. De l'amouritié.

Le temps éclata dans sa mémoire et le regard de Maya refit surface. Wahab se souvenait à présent.

Un vent se leva. Le temps fraîchit. On décida de rentrer afin de poursuivre la fête autour d'un feu de cheminée. Une caisse de cognac nous attend à la maison, lança le père de Maya. L'invitation souleva des cris de joie et fit bouger les invités.

On s'activa. Les plus forts, sous les ordres du père, démontèrent les tables de leurs tréteaux... Les robes volaient au vent, les chapeaux étaient emportés. Les enfants, en riant, couraient à travers champs pour les rattraper. On rentra les vaches. Les nuages salissaient la transparence du jour. « Il faut fermer les portes de la grange ! » hurla le père. Ne voyant plus leurs parents, les enfants se mirent à pleurer. Le paysage dansait, les arbres pliaient et les animaux meuglaient et beuglaient et aboyaient. À l'appel du père, tous les hommes tentèrent de rabattre les deux grandes portes de bois. Wahab et Maya demeuraient blottis dans la chaleur de l'autre. La mère avait jeté sur leurs épaules une grande couverture de laine à laquelle ils se raccrochèrent.

— Ne bougez pas, leur dit-elle, papa va aller chercher grand-père pour qu'il ne reste pas seul au milieu de la tempête, ensuite on te ramènera chez toi, Colin. Ta mère doit commencer à s'inquiéter.

Elle le regarda. « Julien, Julien », dit-elle. Elle se remit à pleurer, approcha ses lèvres des siennes, l'embrassa. « Pardon, pardon... », fit-elle, et elle partit aider les autres. Julien ! pensa-t-il. Je ne sais plus qui je suis.

Des éclairs illuminaient l'espace. On se mit en route. La mère appela le père : « Jean ! Jean ! » Perdu dans le tumulte de la nature, il ne l'entendit pas. Pour parler, il fallait hurler.

— On doit aller chercher papa.

— Je vais passer à la maison... la voiture...

— Non ! hurla la femme. Va le voir d'abord...
Le rassurer...

— Quoi ?

— Le ras-su-rer ! la voiture après !

— C'est idiot ! la voiture... je le cherche... je
reconduis Colin !

— Trop long !

— ... Dix minutes...

— Je m'en fous ! Il va se lever... craint les
orages... il va nous parler des loups...

— Quoi ? !

— Les loups ! Il va nous parler des loups...

La tempête déchirait tout. La mère tenait ses
cheveux à deux mains, les plaquant contre sa
tête.

— Il voulait rester seul... il est seul !

— Va le voir ! Avec les enfants... Va le voir !

— Il veut rien savoir... Il voulait pas aller
au mariage... je vois pas pourquoi il va vouloir
m'accompagner !

— Mais parce qu'il a peur ! De la tempête, de
la pluie, des loups ! Et il est vieux, il est laid, il
est chiant, et il va mourir sans revoir Julien, ça ne
te suffit pas, merde !

Elle s'en alla. Il demeura seul, figé par la
peine, immobile dans les bras du vent. On lui
avait refermé la porte au nez. Wahab et Maya
attendaient derrière.

— Allez, on y va, soupira-t-il.

LE PÈRE MARCHAIT et les enfants suivaient. L'homme se vidait le cœur dans le cœur de la tempête. J'aime mieux être avec vous qu'avec eux ! Putain de mariage de merde ! Putain de vie ! Si le vent pouvait tout arracher, tiens, tout casser ! Putain de vie ! Il pleuvait par intermittence. Une bourrasque de pluie les mouilla. Ils se mirent à courir. Les arbres pleuraient, le monde craquait, les rochers brillaient dans la fuite de la lumière emportée par la course folle de la Terre. Puis ce fut une giclée de grêle. Le ciel tombait en miroir sur leur tête. On arrive ! lança le père. À travers les vapeurs de la pluie, Wahab vit un mur de pierres se dresser devant eux. On y est, pensa-t-il, et tous trois entrèrent dans la maison dont le père referma la porte. Un cri fusa : Les loups ! Les loups ! Cela venait d'au-dessus. Le père alluma et grimpa les marches d'un escalier. Wahab l'entendit dire Calmez-vous, monsieur Blondel, calmez-vous ! Ce ne sont pas les loups, c'est moi, Jean, je suis venu, avec Maya, pour vous chercher.

— Les loups, ils vont tout dévorer ! criait encore la voix.

Maya et Wahab montèrent à leur tour. Ils arrivèrent au milieu d'une chambre obscure. Le vent, passant par une fenêtre ouverte, la faisait gronder. Elle résonnait tel un bateau ivre emporté sur les flots sombres. Avec ses rideaux en bataille, la chambre naviguait au milieu d'une tourmente faite de mille craquements, et ce navire étrange avait pour capitaine un vieillard alité dont le regard exorbité fixait devant lui la fenêtre où se heurtait toute la cadence de la mort à venir. Le père, assis à la tête du lit, tentait de calmer le vieillard.

— Monsieur Blondel, monsieur Blondel, calmez-vous, c'est moi, Jean, calmez-vous.

— Les loups, les loups arrivent, ils sont avec nous !

— Colin, la fenêtre !

Wahab se précipita. Des grêlons tombés dans la chambre crissaient sous ses bottes. Il se pencha à l'extérieur, le visage dans le visage de la tempête, attrapa les deux pans de la fenêtre et les referma. La chambre se tut. Les rideaux retombèrent en place. Le père avait allumé la lampe de chevet. Se rapprochant du lit, Wahab perçut dans le regard du vieil homme l'éclat d'une lueur faite de frayeur et d'intelligence, l'une se mélangeant à l'autre dans un combat acharné. Le vieillard leva sa main et la posa sur le visage du père penché vers lui :

— Jean, c'est toi ?

L'esprit refaisait surface.

— Oui, c'est moi.

— Dieu soit loué. Jeanne est ici ?

— Non. Elle est repartie avec les invités à la maison.

— Ma fille n'a jamais aimé se retrouver seule avec moi.

— Mais Maya est ici, monsieur Blondel. Avec un de ses amis. Ils vont rester avec vous. Pendant ce temps-là, je vais aller chercher la voiture et je reviens vous chercher.

— Merci, mon petit, merci. Je m'inquiétais. Où est Maya ?

— Juste là.

— Ma petite Maya, viens, viens que je t'embrasse.

Maya s'approcha et l'homme se mit à lui caresser le visage.

— Tu es trempée ! Jean, va chercher des serviettes et prends des habits dans l'armoire... pour son ami aussi.

— Vous avez raison, ils vont attraper froid sinon.

Wahab et Maya se séchèrent et se changèrent. Les habits étaient trop grands pour eux. Des vêtements d'une autre jeunesse. Sombres et lourds, sentant la naphtaline. Ils enfilèrent un pantalon, une chemise, un veston et, sans doute pour les taquiner, le père posa sur leur tête un chapeau de feutre noir.

— Merci pour tes efforts, Jean. Pour ta gentillesse, mon petit. Merci de m'avoir amené les enfants.

— Je ne serai pas long, monsieur Blondel.

— Prends ton temps.

— Avez-vous besoin d'autre chose ?

— Éteins la lampe de chevet, je te prie, elle m'empêche de voir la nuit.

Le père fit comme le vieillard lui demandait. Wahab et Maya s'assirent côte à côte, sur des chaises en bois, tout près du lit. Ne le quittez pas, leur dit-il. Il partit.

Dehors, les arbres s'affolaient. Leurs branches, emportées par la cadence de la tempête, jouaient avec les lampadaires de la route dont l'éclat, passant à travers la large fenêtre, mitraillait les murs, explosait sur le corps des enfants et faisait tourner la chambre. Wahab regardait le vieillard. Il était devenu une scène, un théâtre où la lumière dansait. Elle inscrivait sur son front une suite de hiéroglyphes, gravait des formules algébriques d'une telle complexité qu'aucun mathématicien n'aurait pu en décoder le sens. Il faudrait pour cela, pensa Wahab, être en mesure de se tenir debout sur le visage de l'homme endormi et prendre le temps de mesurer la distance entre les deux yeux, entre la bouche et le nez, entre les deux oreilles, la largeur et la hauteur du front... Wahab regardait l'homme, mais ne parvenait pas à voir ses yeux, à percevoir la lueur de son regard. Peut-être a-t-il les yeux fermés, pensa-t-il.

— Je n'ai pas les yeux fermés, dit le vieillard.

Wahab frissonna. Tout son corps se mit à brûler. Choc électrique le long de sa colonne vertébrale. Je n'ai pourtant rien dit.

— M'avez-vous parlé, monsieur?

— J'ai dit que je n'avais pas les yeux fermés.

— C'était une réponse?

— Tu m'as demandé si j'avais les yeux fermés... je t'ai répondu.

— M'avez-vous entendu poser la question? À haute voix?

— J'ai entendu ta question. Ça devrait suffire.

Wahab se tut. Maya, à ses côtés, se tenait immobile, flottant à l'intérieur du veston noir, le visage perdu sous le chapeau de feutre.

— Quel est ton nom, mon petit?

— Colin, monsieur... mais ce n'est pas mon vrai nom.

— Et quel est ton vrai nom?

— Wahab.

— Wahab. Un ami de Maya?

— On s'est rencontrés aujourd'hui. Quand elle m'a vue, elle s'est évanouie.

— Elle a dû te prendre pour Julien. Il y a de quoi s'évanouir.

— Qui est Julien?

— Le grand frère de Maya. Elle a dû te confondre.

— Depuis, Maya me prend par la main.

Le vieillard sourit. Il ouvrit la bouche et prononça un long «Haaa! C'est bien... ça c'est bien... c'est très bien.» Sa main reposait sur les couvertures. Elle était pâle et noueuse. Les veines, calmes, semblaient dire Nous terminons notre travail. Les doigts, seuls, étaient animés d'un léger battement. L'index et le majeur pianotaient une note invisible.

— Alors qu'es-tu venu faire par ici, Wahab ?

— Je me suis perdu.

Maya lui serra la main. Wahab se mit à trembler. L'intuition d'une question à venir. La vérité obligatoire.

— Comment t'es-tu perdu ? lui demanda le vieillard.

On y est, pensa Wahab.

— Je ne peux pas vous mentir.

— Tu n'as rien à perdre avec moi, tu sais...

— Je suis parti de chez moi.

Le vieillard sourit de nouveau et refit un « Haaaa ! » comme s'il disait : « Enfin, tout s'explique. »

— Ensuite ?

— Rien. Je me suis enfui. Et je ne sais plus où je suis. Ni qui je suis.

— Et pourquoi t'es-tu enfui, Wahab ?

— Parce que je n'avais pas envie de me faire engueuler.

— Ah oui ! C'est embêtant, se faire engueuler. Mais engueuler par qui ?

— Par ma mère.

— Ta mère ?

— Oui. Mais ce n'est peut-être pas ma mère.

— Tu n'es pas sûr ?

— Non. Son visage a changé. Du tout au tout. Je rentre chez moi et je trouve des gens. Des invités, j'ai pensé. Mais petit à petit, je me rends compte que non. Ce sont mes parents. Mais ma mère et ma sœur n'ont plus le même visage. Ou j'ai oublié. Alors je ne sais plus. Vous savez, vous ?

Les doigts se mirent à pianoter suivant un rythme plus vif. Il pleuvait à torrents. Des rafales venaient se cogner contre la fenêtre. On était au cœur de la tempête.

— Il y a des choses auxquelles on n'arrive pas à répondre, dit le vieillard. Maya, par exemple, ne parle plus. Depuis le départ de son frère, emporté par la forêt et par ce qui hante la forêt, elle ne parle plus. Ça aussi c'est étrange. Ça aussi mérite une fugue. Julien a disparu, et aujourd'hui, huit ans plus tard, un enfant revient, toi, mais tu n'es pas Julien. Ou alors tu es Julien, mais tu n'as plus le même visage. On n'est sûr de rien... Par exemple, toi et moi : je suis peut-être toi, Wahab. Je suis peut-être toi, il y a de cela longtemps, assis sur une chaise. Et toi, tu es peut-être moi, dans longtemps, couché dans un lit, et homme et enfant, nous voilà l'un en face de l'autre.

— Et si vous, vous êtes moi vieillard, et moi, je suis vous enfant, qu'est-ce qu'il nous reste à faire ?

— Rien. Simplement prendre un petit temps pour penser à la mort et essayer de comprendre. Et se raconter des histoires, même si c'est n'importe quoi. Tant que quelqu'un est là pour nous écouter, alors nous existons. Maya a la tête dans les nuages. Ses yeux ne lâchent jamais le vol des oiseaux. Et on se demande quel genre de paroles pourraient lui sortir de la bouche si elle se remettait à parler. Les gens disent : « Maya ne parle plus depuis la disparition de son frère. » On n'en sait rien. Personne n'en sait rien. Maya ne parle plus peut-être parce que sa parole n'est pas de son âge. On n'en sait rien. Toujours des histoires, je te dis...

— On va me retrouver et on va me ramener chez moi. Ça, c'est pas des histoires. Maya ne parle plus. Ça, c'est pas des histoires. Julien a disparu. Ça, c'est pas des histoires.

— Tu as raison.

— La peine est immense. La colère gronde, dit Wahab.

— Elle gronde, oui. Mais ne crois pas que c'est plus facile pour moi sous prétexte que la mort est proche. Du pareil au même. Dans le ventre de cette tempête, je n'ai qu'à penser à toi qui ne reconnais plus le visage de ta mère, à Maya, la voix noyée au fond de sa peine, à Julien, dévoré par les loups, pour être en mesure de te raconter une histoire portant la frayeur de ton existence.

— Une femme aux membres de bois m'empêche de dormir et de vivre.

— Haaa ! Voilà la terreur ! La femme aux membres de bois !

— Je ne sais pas me défendre contre elle. Elle est grande, le visage voilé, habillée de noir. Elle n'est pas faite de chair. Ses jambes, ses pieds, ses mains et ses bras sont de bois. Je le perçois à travers le voile sombre qui la recouvre. Elle s'approche et veut m'étrangler. Elle n'existe que pour moi et je ne saurai pas lui échapper. La première fois que je l'ai vue, elle était dans un autobus en flammes. Je l'ai vue arracher le cou à un garçon de mon âge. Lui et moi, on s'était regardés longuement. Maya a le même regard que cet ami inconnu. Je m'en suis souvenu tout à l'heure. Le temps n'existe plus.

— Les amis inconnus sont les plus beaux.

— Je ne veux pas que Maya meure à son tour. Je veux me battre contre cette femme aux membres de bois. Pour l'instant, je fuis, je fuis sans savoir quoi faire d'autre, sans comprendre comment calmer mon esprit pour qu'à son tour elle puisse avoir peur de moi. Vous savez, vous ?

— Comment dépasser le seuil de sa peur...

— Oui ! Le courage ne suffit pas, il faut autre chose, autre chose ! Mais quoi ? Qu'est-ce qui ferait peur à la peur de mon enfance ?

— Une autre peur d'enfance.

— Une autre peur d'enfance ?

— Il n'y a pas d'autre solution. Je vais te confier la mienne... tu m'as bien confié la tienne...

— Mais vous, vous n'êtes plus un enfant...

— Ça ne change rien. Je crains toujours ce qui m'a toujours effrayé. Je suis venu au monde avec la frayeur des loups, des grands loups blancs du Nord. Le temps a passé, mais rien ne s'est calmé.

Wahab se tut. L'espace n'existait plus tout à fait pour lui. Il avait à présent une importance secondaire. Une voix nouvelle me parle, pensa-t-il.

174

Maya, lui et moi, tous trois dans l'obscurité. Une nouvelle famille. Visages immobiles. Je peux compter sur eux. Et cette histoire de loup, est-ce qu'il va me la confier? Racontez-moi. Puisque vous m'entendez sans que j'aie à ouvrir la bouche, confiez-moi votre peur, monsieur Blondel, aidez-moi, sauvez-moi... racontez-moi.

— Pour ça, Wahab, je dois retourner à ce premier tic-tac de l'horloge de mon âme, cette seconde lointaine où j'ai senti, pour la première fois, la vie me traquer. C'était au plus intime du ventre de ma mère. En ce temps étrange, Wahab, il n'y avait pas encore de visage, mais le sentiment de l'existence comme il peut frémir au fond d'un minéral. Puis quelque chose... Un coup... au centre du corps, et c'est le premier battement de cœur! La clé! Quel instant! Avec mes oreilles difformes, inachevées, j'ai entendu le bruit du sang couler dans les veines de ma mère. Avec mes poings serrés, portés contre ma bouche dénudée, j'ai ressenti, dans ce premier coup de tonnerre, toute la joie, toute la vie et toute la terreur du monde qui m'attendait, et cette terreur avait pour moi la figure macabre d'un loup blanc, bien avant que je ne puisse dire: «Ceci est un loup.» Ma frayeur en était d'autant plus grande. Alors, pour me défendre, j'ai courbé mon front et fait pousser mes ongles. Et mon corps, pas encore formé, mon corps de céphalopode, mon corps de gastéropode, course infinie de toutes les époques de mes ancêtres, mon corps de poulpe est devenu tour à tour poisson et mollusque, pour ressentir dans le cartilage du poisson, et dans la bave du mollusque, l'essence même du courage nécessaire pour exister ! Là commencent toutes nos histoires, Wahab. Tous autant que nous sommes, au bout de trois mois, dans le ventre de notre mère, nous ressentons, à ce premier battement de cœur, la peur, la grande peur de notre existence... toi, tu as vu la figure de la femme aux membres de bois... moi, j'ai entendu hurler les loups ! Imagine un instant, Wahab : du fond de ma cavité, j'entendais gémir les loups ! J'entendais rager les loups ! Je me suis mis à trembler. Et les loups ont entendu mon tremblement. Ils l'ont entendu ! Et à ce bruit, les loups, du fond de leurs ténèbres blanches, ont été pris de fureur. Ils ont tordu leur cou de rage, et le sang en écume, et l'écume aux lèvres, les loups blancs du Nord se sont mis en course, ils se sont mis à courir au milieu de la nuit en hurlant ! Ils ont couru avec la lune dans leur fourrure trop large ! Ils ont couru avec leur cœur dans la gueule ! Ils ont couru et se sont précipités et se sont dépêchés, mettant toute leur fureur dans leurs pattes ensanglantées, et moi, avec pour seule armure le corps de ma mère, j'entendais leur course, j'entendais leur halètement, j'entendais surtout leurs murmures. Ils me disaient : «Nous arrivons et nous te dévorerons, nous te ferons ressentir une frayeur profonde. Ton âme s'éteindra !» Je les entendais, et je grandissais, et à ma naissance ma frayeur fut âpre. Il me semblait qu'ils s'apprêtaient à me sauter au cœur. Mais non ! Ils n'étaient pas là.

Pas encore. Plus tard, dans ma chambre d'enfant, au milieu du noir, je craignais de les voir arriver, puis dans mes rêves d'adolescent, et dans ma fatigue, et à l'accouchement de ma femme, au lieu de l'enfant, j'ai cru voir les loups surgir de son ventre. Mais ils n'arrivaient pas. Aujourd'hui, j'étais seul, je voyais les éclairs déchirer ma chambre et dans les griffes de la lumière, il me semblait deviner leurs crocs, car la menace de leur arrivée imminente n'a cessé de résonner à mes oreilles. J'ai entendu la porte s'ouvrir et j'ai hurlé : «Les loups, les loups sont là, les loups!» Mais ce n'étaient pas les loups, c'était Jean, c'était toi, avec ton visage, celui de Maya et celui si tendre et si mélancolique de Julien. La mort est proche. Ils ne tarderont plus.

— Qu'est-ce qu'on va faire alors? demanda Wahab.

— Il n'y a qu'une peur d'enfant pour terrasser une autre peur d'enfant. Aie confiance, Wahab, peut-être qu'un jour tu seras face à la femme aux membres de bois et tu auras peur, tu auras très peur, mais aie confiance, laisse-toi pénétrer par cette peur, laisse-la te traverser, et quand elle sera sur toi et que tu penseras Je suis perdu, les loups surgiront. La horde arrivera en courant pour te délivrer de l'horrible femme.

— Et vous?

— Lorsque les loups, à l'instant de ma mort, m'apparaîtront, la femme aux membres de bois surgira de ma mémoire et, avec ses mains, elle leur brisera le cou et me sauvera. Il n'y a qu'une peur d'enfant pour terrasser une autre peur d'enfant.

Des histoires, pensa Wahab. Des histoires. Rien de tout cela n'a existé. Dans ma tête. J'ai tout rêvé. J'en sais rien. Le vieillard s'est rendormi, ses lèvres ne bougent plus, sa conscience s'est échappée de lui, et moi, si loin de mes parents, je ne sais plus si je suis devenu fou ou si ma raison m'accompagne encore.

Le vieillard dormait. La tempête s'était tue. La lumière se tenait immobile sur le visage du dormeur. Maya et Wahab avaient tous deux un loup dans la tête. Ils n'entendirent pas le père arriver. Lorsqu'il ralluma la lampe de chevet, ils furent saisis par un profond effroi. Les loups ! pensa Wahab, les loups sont là !

— Allons-y, leur dit le père.

Il réveilla le vieillard.

DANS LA VOITURE, Maya s'installa avec son grand-père sur la banquette arrière. Wahab s'assit à côté du père. La pluie avait cessé. Le vent se calmait. La nuit tombait. Wahab regardait le chemin de terre se tourner et se retourner devant lui. Les arbres immenses, de chaque côté de la route, lui ouvraient les bras. Le bruit du moteur.

— Colin ?

— Oui, monsieur ?

— Tu t'appelles Wahab, n'est-ce pas ?

Il ne répondit pas.

— Tu es le garçon disparu il y a trois jours, n'est-ce pas ?

Il ne répondit pas.

— La police est venue te chercher, lui dit-il. Elle t'attend à la maison. Des gens, parmi les invités, t'ont reconnu. Tes parents sont prévenus. La police va te reconduire chez toi.

— C'est mieux. Vous n'aurez pas à vous déranger.

Il sentit les deux mains de Maya lui couvrir les yeux. Une farce gentille. Wahab sourit.

Tout le monde le regarda lorsqu'ils rentrèrent dans la maison. Les deux policiers étaient assis et discutaient en fumant. Ils se levèrent et remirent leur képi sur leur tête. En silence, ils prirent une dernière bouffée de leur cigarette, l'éteignirent et posèrent leur manteau sur leurs épaules. Le vieillard fut installé près du feu. Le silence se fit. Le père ôta ses chaussures boueuses et aida Maya à enlever les siennes. Elle grimpa les escaliers, alla s'asseoir sur la dernière marche où elle se recroquevilla et se mit à regarder Wahab. Il n'avait pas bougé de crainte de salir le plancher. Il s'accrocha à ses vêtements trop larges et tenta de ne pas éclater en sanglots. Moi, je n'ai pas le droit d'enlever mes chaussures.

— Ses affaires sont dans la voiture, lança le père en se savonnant les mains à l'évier de la cuisine.

— Allez, gamin, on rentre ! Assez cavalé, fit un des policiers, enrhumé et se mouchant sans cesse.

Wahab se tourna vers l'assemblée et leur sourit. Il dit «Merci», mais aucun son ne sortit de sa bouche. Il avala sa salive. Il allait pleurer. Il planta ses yeux dans les yeux de Maya. À cet instant précis, la mère se leva et s'approcha de lui. Les deux gendarmes étaient sur le départ, ils avaient ouvert la porte. Sale temps, avait dit l'un, et il s'était mouché. La mère saisit Wahab par les épaules. Personne n'osait bouger. Le père dit Laisse-le partir, Jeanne, il ne pouvait pas savoir. Ce n'est pas Julien, laisse-le.

— Wahab, dit-elle, j'envie ta famille, mais j'envie surtout ta mère de retrouver son fils disparu. Ton arrivée ici nous a remplis d'épouvante, mais je ne t'en veux pas, tu ne pouvais pas savoir. De notre maison, un jour, un enfant de ton âge est parti et n'est pas revenu. Tu as bien fait de t'arrêter ici. Tu as bien fait. Tu as choisi un jour de mariage. Tu es un cadeau, un voyageur, un ami de Julien. Retourne chez toi, et reste auprès de ta mère, elle doit avoir le cœur brisé à cette heure-ci, crois-moi, je sais de quoi je parle.

L'un des gendarmes fit un geste vers la porte lorsque, dans le silence de la nuit, on entendit : C'est moi la première qui l'ai vu arriver, et cette voix si douce, si calme, si tendre fit éclater les tympans de toute l'assemblée. Maya venait de briser le silence du monde.

Tous la regardaient. Même les deux gendarmes revenus au centre de la salle. Elle était assise en haut des marches de l'escalier, la tête appuyée contre le mur. La mère fut la première à réagir. Elle grimpa les escaliers, se précipita vers sa fille, la saisit aux épaules et la secoua, les yeux en éclats.

— Maya, Maya, cria-t-elle, qu'est-ce que tu as dit ? Répète ce que tu viens de dire. Répète ce que tu viens de dire !

Mais Maya baissa les yeux. Le père s'était rapproché et le visage collé au visage de la mère, il la supplia à son tour.

— Parle encore, Maya, parle, parle, je t'en prie, redis ce que tu as dit, et nous entendrons ta voix, ta magnifique voix, ta splendide voix, parle, Maya, parle, dis des mots, les mots, tes mots, parle, Maya, parle !

Maya ne parla pas. Elle demeurait silencieuse.

— Parle ! hurla sa mère.

Emportée par son désespoir, elle leva le bras et gifla sa fille.

— Les loups ont dévoré tous les mots, dit le vieillard.

Personne ne lui prêta attention. Le silence tremblait au cœur de chacun, et dans le cœur de Maya, il retrouvait son royaume.

Wahab n'avait pas bougé. Dehors, il faisait froid. Maya pourrait tomber malade, pensa-t-il. Il referma la porte, s'avança, leva les yeux vers elle et la regarda.

— Maya, dit-il, raconte-leur comment tu m'as vu arriver.

Maya cligna des yeux et se mit à pleurer.

— Je me souviens, dit-elle, je me souviens, j'étais assise face à la fenêtre, celle qui donne sur la grande route, la grande route au bout de laquelle on peut apercevoir une vapeur qui est parfois celle du soleil lorsque la lumière est de plomb, parfois celle de l'océan lorsque la lumière est de pluie. Je me souviens. J'étais assise, et tout à coup, j'ai pensé au mot Océan et j'ai éclaté en sanglots. Je le jure. J'ai éclaté en sanglots avant de t'apercevoir, toi, au bout du bout de la route, plein de la vapeur du soleil et de l'océan confondus. Le grand frère est revenu, j'ai voulu crier. Mais rien. Le vent dans ma bouche. Si vous l'aviez vu ! Il marchait de son pas unique, celui que je lui ai toujours connu, peut-être un peu plus fatigué, peut-être un peu plus las... et de nouveau, j'ai perdu la mémoire; pour quelques instants, pour un court instant, je ne savais plus; et je croyais qu'il revenait d'une promenade. Mais, encore, j'ai vu le mot Océan éclater, et là, je l'ai reconnu, lui ! Et là, je l'ai revu, lui ! Et là je me suis souvenue du temps. Cela faisait huit ans ! Et là, j'ai hurlé Lui ! C'est Lui ! LuiLuiLuiLuiLuiLui ! Et il est revenu pour me voir moi, MoiMoiMoiMoiMoi ! Je me souviens, j'étais assise face à la fenêtre, celle qui donne sur la grande route, la grande route au bout de laquelle on peut apercevoir une vapeur qui est parfois celle du soleil lorsque la lumière est de plomb, parfois celle de l'océan lorsque la lumière est de pluie. Il était devant moi, au milieu de la grande pièce, ici même, là où il était lorsque pour la dernière fois nous l'avions vu, celle-là même où il était avant qu'il ne parte en éclatant de rire et en claquant la porte. Il était debout, un rayon de soleil, et il me regardait, et je l'ai regardé. Tu es revenu, j'ai dit, et je suis tombée par terre, plus bas encore, au creux même de l'océan, c'est-à-dire au fond, au plus profond de mes larmes de bonheur. C'est moi la première qui l'ai vu arriver et c'est comme ça que ça s'est passé.

La voix de Maya avait dévoré les espaces intérieurs de chacun. Des tempêtes de silence dans leur tête. Dans la voiture de police filant à grande vitesse sur l'autoroute, Wahab avait le front collé contre la vitre arrière et portait au fond du cœur la force de ce silence. Maya le lui avait offert. Liberté aux oiseaux sauvages. Il regardait la campagne courir et ne s'inquiétait plus. Voici qu'un frère disparu avait été reconnu à travers son propre visage. Traces d'un monde ancien. Visage fossilisé à même son propre visage. Il était cet exilé reconnaissant sa terre natale en foulant du pied un pays nouveau. La légèreté. Enfin du bon côté de la vie. Le bonheur dans le visage de l'autre. Après des années de mutisme, Maya recouvrait la parole à travers lui. Son bonheur était grand. On l'avait rattrapé pourtant, des gens l'avaient reconnu, dénoncé, on avait appelé la police, et le voilà en route vers chez lui. Mais cela ne l'inquiétait plus. Maya était là. Elle venait de relater des évènements auxquels il était lié et, pour une fois, il n'avait pas eu besoin de mentir. Au contraire. Il avait participé à une œuvre de beauté, il en était même le déclencheur, celui par qui la parole arrive. Le miracle. Le sculpteur.

Les deux policiers, assis en avant, se parlaient de choses et d'autres, de sport, de week-end, de famille, d'ennui. La campagne se perdait derrière eux. La ville était debout, levant sur Wahab son bras armé du glaive de la honte. Il ne s'en souciait pas. Il repensa à ces derniers jours. À cet homme croisé sur un banc du vieux port, au mot pervenche, à Judith, à la pureté de son regard, la douceur de sa voix, à l'amitié de Colin dont la sincérité l'émut jusqu'aux larmes, à ce jeune homme avec lequel il avait discuté, lors de son court trajet en métro, de la provenance du vent. Tout cela lui revint en grappe, synthèse de ses plus grandes richesses. Lui revinrent aussi ces instants où son esprit s'éveilla à la réalité d'un monde jusque-là interdit : le repos dans la main ouverte de l'ange bleu, la nuit passée sous le pont, et celle lové au creux de l'arbre, ou encore cette matinée allongé sur le dos du rocher, la tête dans la clarté vertigineuse du ciel. Tout cela est vrai, pensa-t-il. Je ne suis plus un touriste assis sur la plage de ma vie à contempler le calme de la mer, mais un solitaire accroché à une barque fragile aux couleurs de mes quatorze ans qui m'entraîne vers les ravages de l'océan. C'est de là, de cette position affolante, du centre de la tempête, au cœur du chaos infernal, que peut naître la beauté, la grande beauté, la magnifique beauté qui, chaque fois, au cours de ces derniers temps, a su enivrer mon âme. Cette position est contraire à tout ce que l'on m'a enseigné. La ville est là avec ses tourments et m'attend. Un combat se prépare. Je reviens avec une nécessité nouvelle au fond du cœur. Ce sera ma métamorphose. Ma plus grande force. Lorsque je rentrerai tout à l'heure, je me retrouverai au milieu du couloir, face aux visages oubliés de ma famille. Je saurai me tenir droit. On me rattrape, mais que pense-t-on avoir attrapé ? Rien. Ces policiers ont attrapé ce qu'on savait de moi, mais le reste, tout le reste qui vient de naître en moi et m'entraîne vers ma véritable existence, ils ne l'ont pas attrapé. Je traquerai les visages oubliés avec les couleurs de ma mémoire. La femme aux membres de bois aura bientôt peur de moi.

Il se répéta cela tout au long du trajet le ramenant chez lui. Le combat n'était pas terminé. Il débutait. Wahab le savait. Il avait trop marché ces derniers jours pour se laisser prendre par son euphorie. Il avait compris. Tous les chemins le mèneront à la Terre. Or voilà qu'en rentrant chez lui, il quittait la Terre pour sauter dans le gouffre et il avait beau, à cette heure, se creuser les méninges et pousser son effort d'imagination à bout, il n'arrivait pas à savoir à quoi pouvait ressembler ce gouffre où la femme aux membres de bois l'attendait. En sautant, je vais m'aventurer sur son territoire. C'est là la seule voie possible pour atteindre à nouveau la beauté trouvée dans le visage et la voix et l'amitié de Maya. Cette beauté existe au-delà de tout. Elle donnera un sens à ma vie... je veux le croire, je veux le croire... Wahab était arrivé. L'enfance était terminée car, ce soir-là, en sortant de la voiture, en entrant dans l'immeuble, en empruntant l'ascenseur et en ouvrant la porte de son appartement, il sauta à pieds joints dans un trou qui le mena loin, bien loin de cette beauté tant espérée.

DEUXIÈME LIVRE

LA COLÈRE

C'EST COMME ÇA. Maintenant, je ne sais plus qui parle. Les choses n'ont pas changé. Simplement empiré. Mais ce n'est pas, semble-t-il, une catastrophe.

Le temps qui passe.

Les années qui passent.

L'enfance lointaine.

Dix-neuf ans.

Il n'y a pas si longtemps, il m'arrivait d'avoir des apparitions. La tempête gronde. La neige tombe. La ville s'évade. Il m'arrive depuis peu de dire : «Avant». Mais ce n'est pas une chose fixe. Avant qui ? Maintenant, simplement. Avant maintenant. Tout se perd dans le temps et il ne reste que ce grondement effrayant de la présence. Le vertige de tout cela m'échappe. Pour l'attraper au vol, il faut lancer une phrase : «Comment le jour peut-il encore sortir de la nuit ?» Avant, il m'arrivait d'avoir des apparitions. Avant, le visage de ma mère était autre. Il y a bien longtemps maintenant.

Avant, le visage de ma mère était autre. Je dis avant, mais cela ne fait pas longtemps que je

peux dire avant. J'ai dix-neuf ans. Je suis à l'âge
où un avant existe dans le temps. Un avant sans
frontière précise. Avant quoi ? Je dis parfois :
« Avant, j'étais un enfant. » Mais quand est-ce
que j'ai cessé ? Je ne sais pas. C'est comme ça
maintenant. J'entends les vieux qui parlent. Ils
disent Avant la guerre. C'est un avant fixe. La
guerre c'est fixe. Parfois aussi avant la mort d'un
tel. Ça aussi c'est fixe. La mort est fixe. Avant.
Je ne sais pas. La neige m'écœure. Le froid
m'écœure. Le vent m'écœure. La chaussée glacée
est un désastre. La tempête viendra bientôt tout
avaler. Je marche dans une rue glacée. Il tombe
des lames de rasoir. C'est le froid. Le grand froid
de l'hiver qui nous décharne le visage, les doigts,
les pieds. L'âme tremble, mais c'est pour autre
chose. Je suis dans un congélateur et toutes les
personnes que je croise vivent avec moi dans ce
congélateur. J'attends. L'autobus boite jusqu'à
l'arrêt, mais le feu tourne au rouge. Il s'arrête.
Il est à vingt mètres. Je regarde le chauffeur qui
prend une gorgée de quelque chose de chaud. Il me
voit. Le feu est rouge. Le clignement de mes yeux
fait fondre le givre de mes cils et c'est l'hiver au
complet qui pleure sur mon visage. Je tiens un peu
de monnaie entre mes doigts crispés au fond de la
poche de mon manteau. Je respire fort dans mon
foulard pour que la buée qui sort de ma bouche me
réchauffe le nez. L'autobus ne bouge pas. C'est à
tuer tout le monde. À poser des bombes. Avant,
il y avait le soleil. Mais quand ? Quand ? Cette

ville est une punition. Mais y a rien à dire. Mieux vaut ça qu'une bombe dans la gueule. On me l'a dit l'autre fois. C'était insidieux, mais c'était bien visé. J'ai dit : « C'est à voir ! » C'était pour me défendre. Je suis frère jumeau d'une guerre civile qui a ravagé le pays de ma naissance. Tous deux nous sommes nés à la mi-avril. C'est beau le printemps. Mieux vaut ça qu'une bombe dans la gueule. Feu vert. L'autobus titube vers moi. Si la tempête pouvait durer mille ans. Qu'il neige mille ans. Sans arrêt. Que ça batte tous les records. De durée. D'accumulation. De merde. Qu'il neige tellement que je puisse dire plus tard Avant la tempête, Après la tempête, et tout le monde de mon âge saura de quelle putain d'enfoirée de merde de nuit de mon cul je parle. Je suis à l'âge où l'on peut dire avant. Je peux. Avant, il m'arrivait d'avoir des apparitions.

L'autobus s'arrête. Les portes s'ouvrent. Je monte. Il n'y a pas longtemps, je n'avais pas le droit de sortir seul de la maison. Je sortais avec quelqu'un de la famille qui me tenait par la main. J'étais petit. Maintenant, je suis seul à cinq heures du matin, au creux du froid, dans le trou du cul du monde. C'est comme un couteau dans la gorge. Le goût de son propre sang. À chaque respiration un frisson glacé. Quand il gèle, il n'est pas bon de poser la langue sur une surface métallique. La surface métallique me traverse la gorge de part en part. Pour s'en sortir, il faut tout oublier. Tout. Mine de rien. Ne pas voir le couteau, ne pas le voir. Payer son billet d'autobus et c'est tout. C'est comme ça. Mais moi, rien. Je n'oublie rien.

C'est comme un couteau dans la gorge. Planté fret sec. Shlack! Réveil brusque. C'est à hurler.

Je ne peux pas dire que je l'ai entendu sonner. Je ne peux pas dire. Je peux juste dire que je me suis retrouvé assis dans mon lit à me demander si j'avais rêvé. C'était possible. Il faisait nuit, il faisait froid. Est-ce que j'ai rêvé? Puis je l'ai entendu sonner comme une réponse: «Tu n'as pas rêvé.» Mais ça aurait pu. Dehors c'était la tempête et toutes les machines de déneigement qui faisaient leur raffut. Un vrai boucan. J'aurais pu rêver.

Je ne me souviens pas l'avoir entendu. Pourtant je me suis retrouvé le combiné à la main. J'ai dit allô d'une voix normale. On a dit: «Wahab?» J'ai dit oui. On m'a dit: «Viens vite.» Et j'ai raccroché. Dehors, une tempête de neige. À la météo, on l'avait annoncée pour le lendemain, mais elle est arrivée pendant la nuit.

Au début, on ne veut pas y croire. Ou alors on confond. En fait, on n'en sait rien. On ne s'en rend même pas compte. C'est noyé par le rêve: un train qui roule, ou le cri d'une femme derrière sa fenêtre. Puis quelque chose se prolonge, dure trop longtemps pour n'être qu'un rêve. Une voix en nous dit: «Ce n'est pas le cri d'une femme ni un train qui roule. C'est le téléphone... le téléphone sonne... il sonne...» Et ce constat nous arrache au sommeil. Qu'est-ce qui se passe? Quelle heure il est ? Il est tard. La nuit est profonde et le téléphone sonne. On se lève. On titube. On décroche.

— Allô ?

— Wahab ?

— Oui...

— Viens vite.

Alors on raccroche parce que c'est clair. C'est précis. C'est tranchant. C'est comme un couteau dans la gorge. Planté fret sec. Shlack ! Le goût de son propre sang à chaque respiration.

Au début, au tout début. J'en savais rien. Je veux dire que je n'étais pas assis à attendre que ça arrive. C'est arrivé. Je dormais. Driiiiing ! Allô ? Viens vite. Shlack ! Congélateur. Autobus au coin de la rue. Feu rouge. J'attends.

Je suis à l'âge où un avant existe dans le temps. Un avant sans frontière précise. Plus jeune, ce qui était pour moi l'avant ne m'appartenait pas. Il appartenait surtout à mon père, ma mère. Ma mère disait : « Avant la guerre... le pays était beau. » Elle parlait de ce pays lointain, pays des ancêtres, des cèdres et de l'eau, des montagnes et du soleil, pays perdu, pays vaincu, et moi, loin de la guerre civile, ma sœur jumelle, assis dans un coin du salon d'où j'écoutais les grands parler entre eux, j'imaginais une grande promenade ensoleillée. La mer venait se ravager aux pieds des passants qui, pantalons aux bords roulés jusqu'en haut des genoux, marchaient en tenant leurs souliers dans leurs mains. Mon père disait : « Avant mon mariage... » et je voyais un homme libre. À cet âge, j'étais surtout aux prises avec les plus tard. Plus tard, tu seras grand, tu comprendras, tu pourras, tu feras, tu iras, et moi je me gavais d'impossible. J'en bouffais plein. Parfois, lorsque je m'endormais trop tôt et que les autres, les plus vieux, restaient dans cette activité du soir qui m'était si attrayante et que je quittais chaque fois le cœur retourné par le désir ardent d'envoyer mon âge à tous les diables, je pouvais rester assis dans le noir, devant la fenêtre de ma chambre, à inventer ce plus tard si magnifique et si libre, ce plus tard associé pour moi à cette époque inimaginable où je serais devenu grand. Aujourd'hui, tout cela est pour moi un avant et je suis dans ce plus tard si souvent désiré, si puissamment rêvé, et je peux dire que ce plus tard, maintenant que j'y suis, je l'ai foutrement dans le cul. Je suis assis au fond de l'autobus, je suis devenu grand et je me gèle le cul et personne ne sait qui je suis et ce qui m'arrive. La neige m'écœure. Le chauffeur d'autobus sirote son café, ou sa soupe de merde, et j'ai une envie folle de vomir.

Avant, c'est comme si quelqu'un parlait pour moi... faisait le récit de ma propre vie. Comme si je disais « il » pour moi. Voix intérieure... Protection...

Dans l'autobus, il y a une lumière claire de néon blanc. On voit tout. Le plancher en caoutchouc noir est luisant d'un mélange de crasse, de calcium, de sel et de neige fondue. Les gens sont épuisés. Il y en a peu. Deux à parler avec le chauffeur. Une fille sur

196

un siège individuel du milieu, la tête appuyée contre la fenêtre, et moi, écrasé au fond. Je ne pense à rien. Peut-être que je ne réalise pas encore ce qui arrive. C'est ce que tout le monde dit lorsqu'il lui arrive une tuile. Il dit : « Je dois être sous le choc... » et ses amis disent : « Il est sous le choc, il réalisera plus tard. » Je suis peut-être sous le choc. Mais je ne sens rien. Ou plutôt si, je sens une chose, mais elle est impossible. Je sens que je m'en fous. Je m'en tape. Je m'en crisse. Plus tard je réaliserai. Toujours plus tard. Je croyais qu'une fois grand il n'y avait plus personne pour nous dire plus tard. Je ne me trompais pas complètement. Non seulement plus personne n'est là pour dire plus tard, mais en fait il n'y a plus personne tout court. C'est comme ça. Avant, il m'arrivait d'avoir des apparitions, aujourd'hui rien, plus rien et plus rien depuis longtemps. Écrasé au fond de l'autobus, il n'y a que deux choses qui arrivent à me rassurer un peu : mon blouson de cuir noir que j'ai acheté l'année dernière et les néons de l'autobus. J'en ai rien à foutre de la laideur. Qui a dit que ce qui était rassurant était nécessairement beau ? J'aime aller dans les pharmacies où l'on trouve de tout. Parfois, le soir, j'ai trop le cafard pour rentrer chez moi. Alors je vais dans ces grandes surfaces et là, très lentement, je remonte et je redescends chaque allée. Je regarde chaque article. Au plafond, il y a des lumières aux néons d'une blancheur incroyable. C'est une des choses qui me rassurent le plus : les déodorants et les shampooings et les biscuits et les aspirines et les papiers hygiéniques et les paquets de lessive disposés sous une lumière crue. Dans l'autobus, c'est pareil, mais là, je ne sais pas. J'ai beau regarder la lumière, je n'arrive pas à trouver la moindre parcelle de tranquillité. Pas le moindre bout. Rien. Ça va trop vite. Dans ma tête, j'essaie de trouver quelque chose à quoi me raccrocher, mais c'est un mur en béton armé contre lequel mon imagination se brise à chaque pensée. Il n'y a pas d'échappatoire. Dehors, c'est de la merde en boîte. Hier, on m'a encore parlé de la «magnificence de l'existence». Déjà le terme! C'est à vous tuer. C'est une collègue. Une peintre. Elle fait des trucs sympathiques et inoffensifs. Elle est grasse. Ça la gêne, alors elle mange du tofu et broute de la luzerne. Elle est pour la paix dans le monde et ne supporte pas la violence. Elle dit des trucs du style : «L'art c'est important.» Quand elle veut parler d'un peintre qu'elle trouve moyen, elle dit : «Il n'est pas généreux.» Alors, dans le même ordre d'idées, hier, quand elle a su ce qui m'arrivait, elle m'a dit :

— Avec le temps, Wahab, tout passe. Ne te laisse pas aller au désespoir.

— Ma pauvre vieille... Moi, ce qui me désespère, ce sont les gens comme toi qui disent des conneries.

C'était bien envoyé. Elle n'a pas tiqué. Elle voulait absolument me sauver.

— Le cynisme non plus n'est pas conseillé! Regarde autour de toi, Wahab, et vois comme l'existence est belle.

— Mon cul, l'existence !

— Tu es tellement égoïste ! Tu as du talent, d'accord, mais ce n'est pas une raison pour ne pas voir les problèmes des autres ! Tu n'es pas le seul à souffrir !

— Mais ferme ta gueule et arrête de m'emmerder avec tes phrases à la noix.

— L'existence, Wahab...

— Mais putain ! Lâche-moi avec ton existence ! L'existence, l'existence ! Y a pas que ça dans la vie ! Et puisque tu sembles aimer les phrases, laisse-moi te dire que pour moi, l'existence c'est rien qu'un exercice périlleux assez complexe où le jeu consiste à avancer en aveugle en tentant d'être le moins malheureux possible. Voilà. Rentre-toi ça dans le cul et essaie d'être traumatisée un peu. Ta bonne humeur m'écœure. C'est pour ça que tu es grosse ! Si tu déprimais un peu, si tu étais un peu moins sympathique, tu arriverais à maigrir.

Je suis parti, je l'ai plantée là. C'était ignoble, mais merde, elle m'avait vraiment pompé le chou.

La tempête se lève. Poudrerie. On ne voit rien. Les voitures roulent doucement. Quelques-unes dérapent. On arrive dans un quartier qui porte bien son nom : Côte-des-Neiges. L'autobus s'arrête devant une bibliothèque. C'est à crever de rire : il y a trois ans, ça faisait deux ans que nous avions quitté le pays de mon adolescence, j'avais attendu à cet arrêt. Je suis monté dans un autobus semblable à celui dans lequel je me trouve. Peut-être le même. La vie c'est comme ça. Cette journée-là, j'étais fou de joie. Je venais d'être accepté aux Beaux-Arts. Mon nom sur la feuille placardée sur une porte. Mon nom. Mon nom à moi avec onze autres noms. Moi. Je ne sais pas. Des mains invisibles m'avaient retiré d'un seul geste le sac à dos rempli de cailloux que les peines avaient, elles, rempli au cours des ans, de sorte que le poids s'était accumulé sur mes épaules sans que je me rende compte de rien. Mais là, au moment où j'ai vu mon nom. Mon nom à moi. Mon nom sur la feuille. D'un coup, plus de sac, plus de cailloux, plus de peine, plus de poids. J'ai hurlé. Moi qui n'ai jamais hurlé, j'ai hurlé. C'était trop de bonheur. Je suis sorti et j'ai marché. Comme je ne l'avais pas fait depuis mes quatorze ans, une fameuse semaine où j'avais erré des jours durant. Une bêtise. Une fugue. Je me suis retrouvé à Côte-des-Neiges. À la bibliothèque. Épuisé, délivré, j'ai attendu l'autobus. Il est arrivé. Je suis monté. Je suis allé m'asseoir au fond. Maintenant, ce n'est plus pareil. Le sac de pierres est dedans. Sac de métal, au fond de la gorge. Shlack ! Mais tout de même, revoir ce lieu fait éclater ma tête. Je me vois, moi, il y a trois ans. Je suis là, dans l'autobus, et je viens m'asseoir à côté de moi. Il y a tout à coup plusieurs temps dans l'autobus. Bonheur et malheur assis côte à côte. Peut-être que dans dix ans, je remonterai dans cet autobus, à ce même arrêt, et je viendrai m'asseoir à côté de moi aujourd'hui, moi hier. Entre douleur et joie, il y a parfois le fil ténu de la perte.

J'essaie d'imaginer comment ça va être. Avec un peu de chance, j'arriverai là le dernier. J'ai pas de bagnole. Je ne conduis même pas.

— Tu veux qu'on vienne te chercher ?

— Laisse tomber, j'ai dit, et j'ai payé ma place dans l'autobus.

Ça a failli mal finir. Il me manquait vingt-cinq cents. Il a fallu parlementer avec le chauffeur. J'ai pourtant essayé de passer en douce en mettant toute ma monnaie dans sa tirelire, mais il avait l'oreille. C'était un fin. Un malin. Il devait être chauffeur depuis longtemps. Sans regarder, juste au son des pièces tombées au fond de la boîte en métal, il a su. Il lève sa main. Je m'arrête. Je recule. Il ne me regarde pas. Il tient sa main levée et il me dit :

— Y en manque.

— C'est tout ce que j'ai...

— Y en manque.

On tournait en rond.

— Alors ?

— Alors y manque vingt-cinq cents.

Je ne sais pas comment tout ça s'est terminé... il y a des dialogues que je préfère oublier. Je lui ai dit : « Je vais à l'hôpital. »

— T'as raison d'aller à l'hôpital. Quand on est malade dans sa tête, on se soigne.

— Ma mère est en train de mourir, connard, et ton vingt-cinq cents, tu peux te le fourrer au fond du cul !

C'est sorti d'un coup. D'un geste, j'ai pris le couteau que j'avais dans la gorge, puis je le lui ai planté raide dans le trou de balle. Il n'a rien dit. Je suis allé au fond. Les couteaux qu'on a dans la gorge sont des boomerangs. On a beau les planter ailleurs, ils s'arrachent et reviennent vous traverser le cou de part en part. Et moi, je me suis retrouvé avec un couteau qui puait la merde à travers ma gorge nouée. J'ai entendu le chauffeur dire au passager assis à ses côtés : « Encore un crisse de Français. »

— Je ne suis pas Français et je t'emmerde, j'ai hurlé.

Au moins y a ça.

Quand notre mère est en train de mourir, ça nous donne certains droits. En manœuvrant bien, on peut en tirer un max d'avantages. Ça touche tout le monde, ça ébranle quand on dit que notre mère est en train de mourir et qu'on a seulement dix-neuf ans. Dans les yeux des autres, nous devenons porteurs d'un destin particulier : lui, c'est quelqu'un, disent les gens à voix basse, sa mère est en train de mourir. Ça impose le respect. On peut, je le répète, en tirer un grand bénéfice. Putain d'enfoiré de merde ! Je frapperais quelqu'un ! Si le chauffeur ose me provoquer encore une fois, je lui ferai avaler son tableau de bord avec tous les boutons ! Merde ! Assis au fond, je me parle en grinçant des dents, je me parle pour essayer de me calmer, je me dis des mots, mille injures contre toute la Terre, tout mon vocabulaire y passe, dans les trois langues : maternelle, adolescente et celle de maintenant. Va te faire foutre, gros tabarnac d'enfoiré de merde *akhou charmouta*! Connard d'enculé de saint ciboire de crisse de *akroute*! *Kiss okhtak ère bayak* pauvre truite de merde, je te crisserai mon zob au fond du cœur, gros cave! Plein de mots, plein de phrases dans la bouche pour couvrir la tempête de mon cerveau, de ma conscience, de mon esprit, mon âme ou peu importe quoi d'autre qui est à l'intérieur, car quelque chose dans ma tête murmure très bas, très très bas, des mots violents, et malgré tout le bruit de l'autobus et de ma colère et le grincement de mes dents, malgré le vent et la neige et la tempête et la rage, je les entends, ces mots, venus de la nuit du temps : «Ma mère meurt, elle meurt, la salope, et elle ne me fera plus chier!» Si j'avais un flingue, je me logerais une balle pour calmer la dispersion. Une vague immense me prend de l'intérieur et m'emporte et me fracasse contre les récifs de ma douleur. Elle jette mon cœur sur le plancher noir de l'autobus. Masse sanguinolente, je le vois suffoquer comme suffoquent les poissons jetés hors de la mer foudroyante, mais si bonne à leur survie; je le vois, pareil aux grands cétacés échoués sur la plage en désordre, cherchant à rejoindre les vagues, cherchant l'eau frémissante de mes larmes pour être en mesure de battre à nouveau. Et mes yeux sont secs. Et j'étouffe seul au fond de mon autobus, étranglé par l'obligation dans laquelle je suis d'aimer ma mère parce qu'elle meurt, alors que depuis si longtemps, son visage, le visage de ma mère, est resté oublié, enfoui quelque part au fond du désert de ma mémoire, depuis cette grande transformation, arrivée il y a de cela dix siècles. J'avais quatorze ans. Et merde.

Toute cette histoire me fout la trouille. L'autobus a beau être illuminé aux néons, je suis tout seul au fond d'une maison abandonnée au creux d'une vallée déserte d'un pays dévasté et j'entends les fantômes d'une époque heureuse rire de leurs voix mélancoliques et lugubres. On joue aux cartes sur la véranda, sous le grand noisetier. L'été est flamboyant et, de mon lit, caché sous les couvertures, j'épie une étoile par le bâillement de la fenêtre. Je la pointe du doigt et j'attends. Si on me voyait, on dirait : «Non ! Non ! Wahab, n'indique pas les étoiles, ou des verrues te pousseront sur le doigt.» Mais personne n'est là pour me voir et je tiens mon doigt dressé en direction de l'étoile. Et rien. Il ne se passe rien. Pas de verrue, ma peau est lisse comme l'éternité. Je ne dois pas indiquer la bonne étoile.

Avant, il n'y avait que les rêves. Encore maintenant, il m'arrive de me coucher en ayant hâte de dormir. La curiosité que j'ai du rêve que je ferai me rend heureux. Aller au cinéma sans avoir aucune idée de ce qui sera projeté. L'excitation. Je ferme les yeux et j'attends. Et je dors. Une pierre qui tombe.

Je suis laid quand je dors. Ce n'est pas moi qui le dis, c'est un de mes oncles. Frère de ma mère.

Je l'ai surpris un matin. Il faisait lourd. On dormait sans couverture. J'ai entendu un bruit léger. Je n'ai pas ouvert les yeux. J'ai essayé d'écouter, mais c'était incompréhensible. Un léger souffle. Presque inaudible. J'ai regardé à travers mes cils. Mon oncle est là. Debout. Il me regarde dormir. Il sourit. La porte de la chambre est fermée. Sa robe de chambre est défaite, et dans sa main droite, il tient son sexe qu'il agite avec énergie. Une frousse formidable me prend, je m'efforce de ne pas bouger et je me demande ce que je ferai s'il se rapproche de moi. Je pense à ma mère qui est en bas, dans la cuisine. J'entends les bruits du matin. La cafetière, la radio, les fils de mon oncle qui jouent dehors, les camions qui passent. Et mon oncle qui accélère son rythme. C'est la première fois que je vois le sexe d'un homme. Il m'est arrivé de voir le sexe de mes copains de classe à la piscine, lorsque l'on se rhabillait, et on s'en foutait. Mais ce sexe, mauve et énorme, agité avec violence, était identique à l'apparition de la femme aux membres de bois. J'avais seize ans et j'étais parvenu, grâce à l'arrogance de mon adolescence, à oublier la hantise que j'avais de ce spectre immonde. Or, ce matin-là, les paupières entrouvertes à épier mon oncle se branler à fond de train les yeux fixés sur mes fesses, je réalisais qu'il existait une infinité de réalités qui devenaient de parfaites métaphores de cette créature cauchemardesque. Elle avait beau ne pas exister, la femme aux membres de bois était présente comme jamais dans la chambre où je dormais et la forme qu'elle prenait était plus horrible que ce que j'avais imaginé petit. Jusqu'à la fin, je n'ai pas bougé. J'ai fini par fermer les yeux. S'il me touche, je le tue. J'ai tellement la frousse que je ne respire plus. Je ne sais plus rien. Il regarde mes fesses. Qu'est-ce qu'il pourrait regarder d'autre ? Il ne se retient plus. Il geint un peu. Il a du plaisir, il s'en met plein les yeux, il souffle, en rythme et en cadence. Il s'agite. J'ouvre à nouveau les yeux, il se tient serré. Son sexe est rouge vif dans sa main droite. Il se penche et, sans se lâcher, de sa main gauche il enlève sa chaussette et la pose d'un geste sur son sexe. Il a alors un petit cri qu'il étouffe. Je l'entends gémir. Son visage se crispe, il ferme les yeux, se mord les lèvres et éjacule dans sa chaussette. Je continue à faire semblant de dormir, mais je bouge, je me tourne, comme si j'allais me réveiller. Ça lui fout une trouille formidable. Il range sa chaussette dans la poche de sa robe de chambre qu'il replace et sort encore un peu bandé. Ça me prend un certain temps pour réaliser que je ne respire plus. Je décrispe. Je décoince. Je reviens à moi. Jamais le chemin n'avait été si long. C'est un peu plus tard, en descendant l'escalier qui mène à la cuisine, que j'ai entendu mon oncle qui disait à sa femme : « Wahab, quand il dort, a un visage affreux. Je l'ai observé, et vraiment, il est laid. » Ce jour-là, j'en suis arrivé à la conclusion que j'étais un garçon moche, mais qui devait avoir un beau cul. Depuis, je suis devenu méfiant envers mon visage et, à chaque réveil, je pense à lui donner une expression neutre et placide. Tout ça, c'était après notre arrivée dans ce pays. Ma mère riait encore. Même si ce n'était plus tout à fait ma mère.

Il n'y a pas si longtemps, je ne pouvais pas dire : « Il y a dix ans. » Je pouvais dire : « Il y a deux ans. » À la rigueur cinq. Aujourd'hui, je dis : « Avant, quand j'étais petit. »

Quand je dors, je dors comme une pierre qui tombe. Quand je me réveille, je songe toujours à donner à mon visage un regard neutre et placide.

Cette fois-ci, ce fut un peu plus difficile.

Être arraché à son sommeil exige un effort gigantesque. Car sous l'urgence d'un téléphone qui sonne en pleine nuit, il faut se rappeler, en un instant, le lieu où nous sommes et la place que nous tenons dans l'univers. Avec tout cela, il fallait courir. C'est sûrement urgent. Sûrement urgent. Je ne maîtrisais pas les distances entre le lit et la porte, entre la porte et la fin du corridor... Je venais d'emménager. C'était la première fois que je dormais seul dans une maison. Je ne savais plus où j'avais mis le téléphone ni dans quelle pièce il était branché. Les interrupteurs étaient introuvables et la géométrie de mon nouvel appartement se confondait avec l'ancien, celui-là même dans lequel j'avais dormi hier et dans lequel je dormais depuis trois ans. J'ai tourné à droite, croyant prendre le couloir, et j'ai pris le mur en pleine gueule. Et le téléphone sonnait. Il fallait faire vite. La douleur et le sommeil me dévoraient le cerveau. J'ai trouvé le téléphone. Il sonne encore une fois. Qui appelle ? C'est la nuit. La nuit. Je décroche. J'ai dit : « Allô » d'une voix normale. On a dit : « Wahab ? » J'ai dit : « Oui. » On a dit : « Viens vite ! » et j'ai raccroché.

C'était mon frère. Nidal. Dans les cas extra-ordinaires, c'est lui qui dit à tout le monde ce qu'il faut faire. C'est celui qui est capable de penser dans les situations difficiles. Et là, c'était une situation difficile, à tout le moins extraordinaire, et ce n'était pas le temps ni de plaisanter ni de discuter. J'ai raccroché. Shlack !

Je n'ai pas bougé. J'ai pensé : c'est ma mère. Elle est en train de mourir. Les médecins avaient dit : « Elle ne verra pas l'automne » et on était en plein mois de décembre. Joyeux Noël. J'ai raccroché. J'ai fait semblant d'être triste. Parce qu'il fallait. Mais au fond, j'étais excité. Je me disais qu'enfin, quelque chose d'extraordinaire était en train de m'arriver. Que j'étais un héros. Je suis ce personnage qu'on réveille en pleine nuit pour lui dire : Viens, c'est maintenant, et il raccroche. La tempête de neige, dehors, rendait la situation tragique. Ça pouvait être le début d'un magnifique film. Au fond, ma déprime venait de ce que je savais qu'aucun spectateur assis dans le noir ne regardait sur l'écran blanc ce film dont j'étais le héros. Personne. Cette absence de fiction dans les situations tragiques, c'était cela, finalement, qu'on appelait la réalité. Et la réalité venait de me prendre par-derrière et m'enculait sans prendre la peine d'attendre que je m'endorme pour écarter sa robe de chambre et se branler un peu en lorgnant mon cul. La réalité n'avait aucun scrupule et je comprenais qu'elle n'allait pas prendre la peine d'ôter sa chaussette, au contraire, elle me violait avec une perversion telle que je comprenais qu'elle allait éjaculer au fond de mon âme. J'étais fait. Fait comme un rat. Et j'ai raccroché.

J'ai allumé.

L'appartement est laid : une cuisine un corridor, la toilette un corridor, la chambre un corridor, un salon la porte d'entrée. 314. Derrière la porte, il y a un long corridor, avec une moquette rouge, et d'autres portes d'appartements. 310 à 320. Puis, tout au bout, un escalier donnant, au passage des trois étages, à d'autres corridors, avec d'autres appartements, 210 à 220, 110 à 120. En bas de cet escalier, il y a les boîtes aux lettres et un corridor sans moquette qui mène vers un petit hall d'entrée vitré. Il y a une double porte. On ouvre l'une et l'on sent déjà le froid, on ouvre l'autre et on nage en pleine tempête. C'est l'hiver et c'est la noirceur des nuits les plus longues, des lampadaires orangés et des téléphones qui sonnent en pleine nuit.

— Allô ?

— Wahab ?

— Oui.

— Viens vite.

J'ai raccroché. Puis j'ai allumé. Je me suis habillé comme j'ai pu. Toutes mes affaires étaient encore dans leurs boîtes. Je suis sorti. Porte. 314.

Corridor. Escalier, escalier, escalier, boîtes aux lettres, corridor, hall, porte vitrée, froid, porte vitrée, tempête.

L'autobus passe le long du grand cimetière. Celui de la montagne. Dans les premiers mois qui ont suivi notre arrivée ici, j'aimais venir m'y promener. On peut s'y perdre. Oublier la ville. Son quadrillage. Son manque d'imagination. La montagne qui s'élève au milieu des quartiers l'oblige à se courber, à courber ses rues, courber sa structure pour lui redonner un peu de mystère. Le cimetière est son âme. Là, au milieu d'arbres centenaires, des pierres tombales semblent avoir fleuri. Une multitude de chemins serpentent parmi les monuments jusqu'en haut de la montagne. Jusqu'à la grande croix qui domine toute la ville. Arrivé à ses pieds, on est alors sorti du cimetière. Une grille ouverte donne accès à un lac où les enfants viennent jouer avec leurs parents. L'hiver on y patine en riant. L'été on y fait des promenades en pédalo. La vie qui bat. Plus loin, il y a le belvédère où l'hiver il fait si froid à cause du vent violent. On peut y voir tout le côté est de la ville. Lorsque le ciel est pur, le regard peut voyager jusqu'à l'horizon. Là où le fleuve, en s'élargissant, se perd dans le ciel. Au printemps dernier, j'étais venu regarder les flaques de glace voyager avec le courant. Elles glissaient, silencieuses et légères, vers leur destin. Où vont-elles ? Dans le ciel, des oiseaux. Oui. La montagne, je venais m'y promener. À l'automne tout éclate. Couleurs enfantines. Une fois, j'y suis venu avec ma mère. Nous étions partis de bon matin. Nous étions passés par le cimetière jusqu'au belvédère, puis nous étions redescendus par le chemin inverse, celui qui mène jusqu'aux terrains de sport de l'université anglaise. Ma mère était déjà malade, mais personne n'arrivait à comprendre ce qu'elle avait. Je ne peux pas dire que ça l'inquiétait, parce que ma mère a toujours été inquiète. Elle avait le regard de la tristesse et de la peine infinie de n'avoir pas été heureuse à cause, comme elle le disait elle-même, des «évènements». Les évènements, moi, me dépassaient un peu parce qu'on ne me disait rien, étant donné que j'étais le plus petit. Mais ça, aujourd'hui, ça ne veut plus rien dire. Fatiguée, elle s'était assise sur un banc au milieu des arbres. Je me suis assis à côté d'elle. Elle m'a dit qu'elle était épuisée et qu'elle n'avait plus d'énergie. Je l'ai écoutée, mais je n'ai pas osé lui dire que je ne savais plus qui elle était. Elle allait pourtant bientôt mourir, mais comment aurions-nous pu le savoir? Elle était malade et personne n'en savait rien et moi je m'étais habitué à son visage, mais son visage était une blessure au cœur de ma mémoire.

— Tu as toujours aimé marcher.

— C'est vrai.

— Quand tu étais petit, tu ne voulais pas prendre le taxi. Quand on allait rendre visite à tante Mathilde, tu voulais y aller à pied.

J'ai souri pour lui faire plaisir. J'étais tout de même un peu heureux. C'est la seule fois où ma mère m'a parlé sans m'engueuler.

L'autobus s'arrête à un feu. Par la fenêtre, je vois les premiers monuments du cimetière danser dans la neige. Je pense au banc. Ma mère n'y est plus. Le banc est vide. Seul, figé dans le froid polaire de l'hiver, glacé par le vent, il y a mon souvenir de nous assis, à jamais silencieux, à jamais séparés, mère et fils perdus au cœur de la grande glaciation. J'en ai marre et j'étouffe à mort. Il reste trois arrêts avant d'arriver à l'hôpital, mais je m'en fous. Je tire la corde. Le chauffeur me jette un regard à travers son rétroviseur. Le feu passe au vert. L'autobus redémarre. Bon. Je me lève pour me rapprocher de la porte.

— C'est pas l'hôpital encore.

— Je sais.

— Ostie de crosseur.

Je ne réponds pas. Je descends. L'autobus s'en va et je reste sur le trottoir. Je ne sais pas. Le fait que le chauffeur soit convaincu que je lui ai menti pour pouvoir payer moins cher ma place m'affecte plus profondément que la raison pour laquelle je suis là, à cette heure où l'on ne peut pas dire s'il est tard dans la nuit ou très tôt le matin. C'est peut-être ça que je commence à trouver le plus épatant : ne pas ressentir les sentiments qui s'accordent à la situation. C'est tout de même tuant. À la télévision, les héros pleurent quand ils sont tristes et rient lorsqu'ils sont heureux. Dans mon cœur, je pense qu'il y a un bordel monumental, un désaccord entier entre la réalité et mes sentiments, tellement que tout finit par sortir, mais selon des combinaisons étranges. Je pense à la journée où le médecin traitant de ma mère m'a annoncé ce que l'on peut appeler en langage convenu «une triste nouvelle». On était assis dans son bureau. Pour faire plus humain sans doute, il s'est assis tout juste en face de moi et il a ouvert la bouche. J'ai reculé. Il avait une haleine du tonnerre de Dieu, un truc inimaginable, fétide et rance, une odeur de pourriture mélangée à de l'ammoniaque, quelque chose de brutal, fosse septique mais en plus surprenant. Du ragoût oublié entre les dents. L'enfer. Il s'est penché et m'a pris la main. J'ai retenu mon souffle.

— Jeune homme, il vous faudra être courageux. On ne peut plus rien faire pour votre mère. Nous battre ne servira qu'à prolonger son agonie. Il faudra l'accompagner pour que le temps qui lui reste soit le plus agréable possible. Et ça, ce n'est jamais facile.

Je ne peux pas dire que j'ai été triste, ou choqué, ou ébranlé... Le visage du médecin si proche de moi, j'étais incapable de savoir sur quoi je devais me concentrer : l'annonce de la mort prochaine de ma mère, ou reprendre mon souffle sans pour autant respirer la puanteur de son haleine.

C'est comme ça.

Je marche dans la rue. Elle est peut-être morte à cette heure. La voix de mon frère était décisive, tranchante.

— Allô ?

— Wahab ?

— Oui.

— Viens vite.

Et j'ai raccroché. Je quitte le grand boulevard pour prendre les rues transversales. Le vent est moins violent. L'air est moins glacial. Je remonte une rue. Il y a des montagnes de neige de chaque côté. Des voitures stationnées tant bien que mal. Il y a les arbres nus. Le printemps ne reviendra plus. Je tourne à gauche. Pas de lumières aux fenêtres. Ici et là, des lumières de Noël accrochées aux balcons. Elles clignotent sans croire à cette joie que les gens leur demandent d'avoir. Ampoules vertes, ampoules rouges, ampoules blanches... Ça témoigne davantage d'un manque d'imagination que d'un esprit de fête. Comment faire pour peindre dans une ville pareille ? La laideur comme principe de base. C'est à tuer. Elles ont beau clignoter, elles ont beau illuminer toute la rue, elles ne m'annoncent rien de bon, ces lumières, elles ne présagent aucun salut, elles indiquent le battement de la nuit et la nuit est fatiguée d'être si longue. Le jour tardera encore. Il est aux îles Canaries, le jour... Il n'en a rien à foutre de nous. Je le comprends. Venir se geler le cul ici alors que là-bas le soleil lui réchauffe les entrailles. La rue est longue. Tout au bout, je devine les lumières de l'hôpital. Les maisons sont recouvertes de neige. Dans chaque maison peut-être, des enfants dorment. À quoi rêvent-ils ? Ils rêvent. Si je pouvais, je marcherais toute la nuit pour fuir cette aube nouvelle. Sauter par-dessus.

Je marcherais tout le jour et puis la nuit suivante et puis tout le jour qui la suivra et toute la nuit encore, je marcherais toute l'année puis toute la vie, je marcherais toute l'éternité pour pouvoir fuir les trois rues qui me séparent de ce putain d'immeuble qui sent la bouffe de malade et le vomi de vieillards incontinents. Déjà, un hôpital, c'est pas ce qu'il y a de plus aimable. Mais alors leur cuisine, c'est à n'y pas tenir, leur purée de pommes de terre mélangée à la viande hachée, je ne sais pas, mais ça m'a toujours fait penser à de la merde de vieux qui ont la chiasse. Je ne suis pas capable. Je marche la tête baissée. Les poings serrés au fond des poches de mon blouson. Si je pouvais, je marcherais pour arriver jusqu'à la mer. Il y a longtemps, j'avais essayé. J'étais parti. J'y croyais vraiment. Parti. J'y croyais. On a fini par me rattraper. Tout ça pour ça. Je vois l'énorme bâtiment. Plein de lumières aux fenêtres. Privilèges des malades. Bon Dieu de merde. Je traverse une rue.

Elle est peut-être déjà morte. Si c'est ça, je suis un peu déçu. Qu'est-ce que ça me fait ? Je me demande. Rien, je réponds. Ça ne me fait rien. Je vis sans mère depuis longtemps. Un jour, ma mère s'est mise à avoir un visage autre. Je veux dire du tout au tout. Et personne ne s'en est étonné. Et personne ne m'a rien dit. On m'a demandé : Wahab, pourquoi tu as fait une fugue ? J'ai répondu que c'était parce que j'avais peur du visage changé de ma mère. On m'a amené voir un médecin. Une vraie tronche de cake. Il m'a reposé la question et j'ai répondu la même chose. «Qu'est-ce que tu veux dire par là?» a fini par me demander la tronche de cake.

— Quoi, qu'est-ce que je veux dire par là?

— Oui...

— Je veux dire qu'avant, ma mère avait un autre visage que celui qu'elle a maintenant.

— Je ne comprends pas... comment différent?

— Oui... différent. D'un coup!

— Elle a vieilli?

— Non! Comme s'il s'agissait de quelqu'un de différent! Complètement différent.

— Je ne te suis pas. Tu veux dire que ta mère n'est plus ta mère?

— C'est ce que j'ai cru au début. Une invitée, une amie de la famille, j'en sais rien, et puis non... c'était elle, mais avec un autre visage.

— Il est comment, le visage de ta mère?

— Rond, les yeux verts, les cheveux coiffés avec du fixatif.

— Et puis?

— L'autre jour, je reviens de l'école, elle a un visage pâle, des yeux délavés et cette longue chevelure blonde; elle est mince et tout le monde fait semblant que c'est normal.

— C'était quand?

— Il y a deux semaines. La journée de mon anniversaire. J'ai eu quatorze ans.

— Qu'est-ce que tu comptes faire?

— Qu'est-ce que vous voulez que je fasse?

— Je te le demande.

— Ben rien. Je vais fermer ma gueule. Et c'est tout. Bon. C'est ma mère. Je le sais. Ma tête le sait. C'est peut-être suffisant. C'est tout.

Il n'a plus rien dit. Je ne l'ai plus revu. Aux autres non plus je n'ai plus rien dit. Je voulais juste qu'on me foute la paix. J'avais mes copains et ça allait. De temps en temps, j'avais une apparition ou deux, et puis j'avais au fond de ma tête les visages oubliés de ma mère et de ma sœur. Pour les fixer dans ma mémoire, j'ai commencé à les dessiner. Dessiner le souvenir que j'avais d'elles. Au début, c'était maladroit, on ne reconnaissait rien, les yeux en amande, le visage à plat, les oreilles décollées, aucune perspective, je ne savais pas. Maintenant je sais un peu plus et je me rapproche de ma mémoire. Je dessinais et je fermais ma gueule. Ça, on pouvait pas me le reprocher. C'était comme ça, j'avais suffisamment fait de peine à tout le monde. Alors j'ai tout donné. Enfant modèle. Toujours à l'heure. Bonnes notes. Pas de problèmes. Ça a plu. « En fin de compte, ils ont dit, sa fugue a eu ça de bon. Ça l'a calmé. » Je vous emmerde, je pensais. Quand elle me disait : C'est bien, je suis contente de toi, moi je souriais et je pensais : Va te faire foutre, connasse ! je t'emmerde. Je me brossais les dents trois fois par jour, je dormais à heure fixe. On me disait non, j'étais d'accord, on me disait oui, je disais merci. Tout ça pour qu'on me foute la paix. Qu'on ne me fasse plus chier.

Maintenant c'est plus pareil. C'est comme un couteau dans la gorge. Planté fret sec. Shlack ! Il n'y a que Marie. Je remonte la dernière rue. Un dernier croisement et je serai là. Je vois le bâtiment. L'entrée pour les urgences. Je devine des silhouettes dans la lumière des fenêtres, petites virgules dans de petits cadres, infirmiers, infirmières, malades, tout le concert de la misère est là, celui du corps qui tousse, qui saigne, qui chie trop, pas assez, qui crie, s'endort, se réveille, se recouche, accouche, meurt. Tout. C'est un dragon. Il avale tout. Trois grandes cheminées laissent échapper une vapeur blanche dans le vent de l'hiver. Il n'y a que Marie. Hier, elle m'a dit Viens dormir à la maison. J'ai dit non. Je voulais défaire mes boîtes. Le déménagement m'avait épuisé, mais je voulais en finir : monter mon atelier, fixer mes toiles aux murs. L'exposition à terminer. Ranger mes habits, mes livres, tout. Pouvoir peindre sans plus penser à rien. J'ai dit non. J'aurais pas dû. Le téléphone aurait sonné toute la nuit. Pas là. Avec Marie. Je marche, et je pense à tous ceux qui s'aiment, endormis, blottis l'un contre l'autre. Je ne suis pas eux et moi, m'en allant vers la mort de ma mère, je me sens hors du monde et j'imagine le monde, et le monde tel que je l'imagine me donne un peu de force, un peu de lumière pour pouvoir poursuivre, aller plus loin, continuer. Je me dis qu'il existe une manière de penser qui pourrait devenir un pays où l'horizon cesserait pour de bon d'être rabattu. Il y a des branches qui craquent, l'hiver, sous leur poids de neige et de froidure. D'autres qui résistent. Qui suis-je ? Il n'y a que Marie. Elle m'a dit Viens dormir à la maison ce soir. J'ai dit non. Je dors mal entre les bras de mon amour. Ce n'est pas que je ne suis pas amoureux, je le suis, avec toute l'amitié dont je suis capable. Marie, je ne lui ai jamais fait de peine, peut-être la seule. Marie m'a dit Viens dormir à la maison ce soir, et j'ai refusé. On peut appeler ça le destin. Y en a qui ne croient pas au destin. Je ne les envie pas parce que moi non plus je n'y crois pas. Mais avoir refusé d'aller dormir chez Marie la nuit où ce téléphone de merde d'enfoiré de cul sonne pour me dire Allô ? Wahab ? Oui. Viens vite, si ce n'est pas le destin, qu'est-ce que c'est, bordel ? Je dors mal entre les bras de mon amour. Ce n'est pas que je ne suis pas amoureux. Je le suis. D'une belle et profonde manière. Mais qu'on me prenne dans ses bras, et j'étouffe.

Ils sont sûrement tous arrivés. Sûrement en train de pleurer. Je ne pleure plus. Je ne sais pas pourquoi. Avant je pleurais pour un rien. Aujourd'hui c'est fini. C'est fait et bien fait. Merci. Terminé.

À l'heure qu'il est, Marie doit dormir. Si elle savait que je suis là, au milieu du froid, elle aurait de la peine. Marie a souvent de la peine pour les fragilités des autres. Alors elle pleure. Alors j'embrasse ses larmes. Je lui dis Tu pleures si facilement, Marie. Elle me répond Je compense pour toi qui ne pleures jamais. Elle a raison.

Prête-moi tes larmes, Marie, prête-moi tes larmes, mais tu ne m'entends pas. Tu dors. Tu rêves. Tu m'as dit hier Viens dormir à la maison. J'ai dit non. Faut dire que c'est loin. Marie habite en banlieue nord. Chez ses parents. Là, c'est le calme des maisons riches. Le Frigidaire est plein. Les armoires. Chocolats et confiseries. Ses parents m'aiment bien. M'accueillent toujours. La chambre de Marie est bleue. Les draps sentent bon l'assouplissant. J'y dors profondément. Il y a le chat qui somnole à nos pieds. Avec Marie, jamais je n'ai eu peur de voir apparaître la femme aux membres de bois. Au milieu de la nuit, au sortir de quelques cauchemars, il m'arrive de la réveiller :

— Marie, Marie...

— Quoi ?

— Tu m'aimes ?

— Dors !

On s'est rencontrés simplement. Je devais faire, pour le cours d'analyse picturale, un travail sur le tableau de Van Gogh *La Chambre à coucher de Vincent*. Six mois de préparation. Examen de fin d'année. Je suis monté sur l'estrade. Les autres élèves et l'ensemble des professeurs étaient là. J'avais une heure à remplir. J'ai pris une grande respiration et j'ai dit : «Dans ce tableau, Van Gogh a peint un lit simple. Or, bien que le lit soit simple et ne semble pas être suffisamment spacieux pour recevoir deux corps, il a mis deux oreillers. Cela traduisait chez lui son profond désir de partager sa vie avec une femme. Une femme au visage immobile. Fidèle en tout point. Elle à lui, lui à elle.» Mon analyse s'arrêtait là. Il y eut un long silence. J'ai ajouté, pour que ce soit clair : «C'est tout !» Je n'ai pas eu une bonne note, mais j'avais fait rire tout le monde et Marie était tombée amoureuse de moi... Et moi d'elle. Délivrance.

Le vent souffle en rafales. Il m'arrache les yeux. Me rend aveugle. Je continue tout de même à marcher, mais ce n'est plus moi qui marche. L'hôpital est là. Quelque chose en moi m'y conduit. Ma vie au complet. Je sais qu'elle a été pensée pour me mener aujourd'hui en cet endroit. Je voudrais fuir. Au soleil. Mais c'est impensable. Fuir est impensable. Même dans ma tête. Rien. Pourtant, dans la tête, on peut fuir très loin, mais là, rien à faire. Je n'ai pas la volonté. Je suis trop petit. Pour rebrousser chemin, il me faudrait la force de lutter contre tout le mouvement de mon existence. Un seul geste dans la direction opposée et je serais décapité. Trop d'accélération me porte depuis si longtemps. La Terre qui se met à tourner en sens inverse. Cyclone, tempête et fin du monde. Je traverse la dernière rue. Je la traverse. L'hôpital est là. Je suis Perceval, la blessure au cœur, qui revient vers la forteresse. Arthur meurt et je n'ai pas trouvé le Graal. Mes mains ne tiennent rien. Elles sont crispées au fond de mes poches et j'avance la tête baissée, le corps courbé dans les brusques risées du vent contraire. Le jour est loin. Il fait tellement froid que je n'arrive plus à voir. Peut-être qu'il fait jour. Je n'en sais rien. Il y a des nuits éternelles. Ce sont des choses que l'on sait d'instinct. La lumière du jour est incertaine. Elle ne me concerne plus. La lumière du jour ne me concerne plus. Je marche et je rigole. Cette pensée est une erreur. La lumière de ce jour ne concerne que moi et ce n'est que pour moi que ce jour porte si bien son nom. Je le sais. Je le sais parce qu'au fond je m'en fous. C'est rien que des mots. Que des mots. Des mots qui ont mangé toute la place. Pour cacher l'horreur. Déguiser. Toujours faire semblant. J'aurais aimé qu'elle crève sans bruit. Crise cardiaque ou thrombose, noyade ou accident d'auto. Quelque chose de sec, de net, définitif du premier coup. Sans symptômes avant-coureurs, ni traitements, ni chimio, ni radio, ni rien, ni merde. Pas de temps qui passe. À peine le temps de dire ouf. Faut être orgueilleux pour mourir d'un cancer. C'est long. C'est chiant et ça fait chier. Je le sais. Combien de fois, merde, elle m'a appelé en hurlant en pleine nuit : Wahab ? Wahab ? Et moi, d'un coup, arraché au sommeil, ramené d'un geste sur le continent de la conscience, enlevé des bras de l'oubli, j'arrivais dans sa chambre. Les autres dormaient. Mon père ronflait. Quoi ? Quoi ? Qu'est-ce qu'il y a ? J'ai mal, Wahab ! Où ça ? Mon Dieu, j'ai mal. Où tu as mal ? J'ai mal. On tournait en rond et moi je ne savais plus si j'étais endormi ou éveillé. Depuis quelque temps, elle avait investi mes nuits et je rêvais qu'elle m'appelait et que je me levais. Le mouvement me réveillait et je voyais que j'étais dans mon lit. Parfois, elle m'appelait vraiment. Avec le temps, la différence entre le rêve et la réalité s'est estompée. La mer et le ciel lorsqu'ils se confondent à l'horizon. Même couleur. Plus de traits. J'ai mal, Wahab. Je sais. Masse-moi les pieds.

Je m'agenouillais au bout du lit. Un enfant qui prie.

Je commençais par lui caresser les chevilles. Des poils fins sous ma main. Avant, elle se passait la cire pour avoir les jambes douces. C'était il y a longtemps, avant même la métamorphose. Maintenant, elle n'avait plus besoin de se faire belle, elle allait mourir. Je lui soulevais ensuite la jambe et je lui massais le talon. Peau rêche. Peau morte. Ce talon qui avait tant servi, qui l'avait soutenue, était à présent inutile. Plus besoin. Puis, en pianotant des pouces, je massais la plante des pieds. L'arc. Là où la peau est si douce. Je m'appliquais. J'imaginais que sa douleur lui sortait du corps. Phosphorescence. Pas un espace que je ne caressais en y mettant toute la tendresse dont j'étais capable. Je me disais que le visage de ma mère avait beau être autre, elle avait toujours les mêmes pieds. Quand je pleurais, je retenais mon souffle pour qu'elle ne se doute de rien. Il fallait que la douleur sorte. La sienne. La mienne. À la fin, j'étais épuisé. Je recommençais à rêver. Je m'endormais, la tête sur ses pieds. Dans le meilleur des cas, elle s'évanouissait; dans le pire, elle pleurait. La douleur était grande et il n'y avait rien à faire. Rien. Je restais là à la regarder brûler et je ne savais plus qui j'étais. Et parce que le silence qui s'installait était à vomir, à tuer, à égorger sans pitié, à écraser, je finissais par lui demander : «Qu'est-ce que je peux faire, mais qu'est-ce que je peux faire ?» et c'était comme lorsque j'étais petit et que je revenais en pleurant pour trouver consolation entre ses bras. Mais là, ses bras étaient coupés et il n'y avait plus de consolation possible. Plus de consolation. Simplement le métal foudroyant de la réalité. Elle, avec son visage inconnu, elle me regardait, et je pense qu'elle était peinée par ma peine. Touchée par ma peine, comme si elle venait d'apprendre qu'elle était quelqu'un pour qui l'on pouvait éprouver de la pitié. Peut-être mon plus beau cadeau. Imprévu et insupportable. Je restais là au milieu de la maison endormie et je pensais : «Où sommes-nous ? Où sommes-nous ?» Je crois que c'est cette question, si violente, qui, une nuit, a fait ressurgir dans ma vie la horde oubliée des loups. Dans la chambre de ma mère qui n'était pas ma mère, je les ai vus arriver ; ils étaient enragés, déchaînés, la gueule en écume. Ils sont entrés, habités par la fureur du sang. Ils ont grimpé sur le lit et ont envahi le corps meurtri de ma mère qu'ils ont dévoré alors que la louve, la grande louve, la louve sauvage et meurtrière, s'était approchée de moi. Elle a léché mes larmes, elle m'a regardé avec toute la colère de sa race et s'est mise à hurler. Et dans ce hurlement, je comprenais que les loups allaient trouver en ma mère, dans son corps même, la source de la douleur et qu'ils allaient la dévorer. Alors il y aura le calme. Les loups, c'était une histoire ancienne. Une vie autre. Une vie fantôme. Prémonition.

Il neige encore. On se demande comment il est possible que tout cela puisse fondre un jour. Pourtant, l'été, on marche en sandales. C'est un rêve. L'été c'est pareil. On ne peut pas croire que dans quelques mois on sera ligoté par le froid. La rue se termine. La porte vitrée de l'hôpital. Je pense au mot pervenche. Tout cela n'a pas existé. Ce serait un bon début de film. Avec un beau titre : *L'Arrivée à l'hôpital*. Mais ce n'est pas un film. La preuve : il n'y a pas de musique. Dans un film, il y a toujours de la musique. Le héros pleure : il y a de la musique. Il marche dans la rue : il y a de la musique. Là, pas de musique. Pas de consolation. La vie sourde. Mes pas dans la neige. Mon souffle. La vie malgré tout. Toujours malgré tout. Ce n'est pas un film. Pas même un cauchemar. Devant moi, il y a un père Noël. C'est pas une farce. Il y a un père Noël. Un vrai. Je veux dire : il est là. Sous la neige. Il marche sur le trottoir. En face de moi. Il avance. Un père Noël. Tout y est. Habit rouge, barbe blanche, bottes noires. Je ne l'ai pas vu arriver. Il est là. Je ne sais pas. Il est apparu. Avant, il m'arrivait souvent d'avoir des apparitions. Une apparition, je me dis. Mais non. Réaliste à fond. Il doit sortir de l'hôpital... Une tournée auprès des malades... Les enfants... Tout ça. Tout de même, ça me fait un drôle d'effet. Il arrive à ma hauteur.

S'arrête. Il devait tenir ses clés à la main parce que je ne le vois pas les sortir de sa poche. Il ouvre la portière de sa voiture. Il se penche. Il a un gros cul. Il met le contact. Il se redresse, muni d'un petit balai et, sans avoir l'air d'y penser, le père Noël commence à déneiger le pare-brise et les vitres de son auto. Je le regarde. Je ne bouge pas. Je ne sais pas. Comme s'il n'y a jamais eu de musique. Il fait le tour. Sans me regarder. Il balance son petit balai sur la banquette arrière, il remonte dans sa voiture, claque la portière, change de vitesse. Il veut s'en aller. Il ne peut pas. C'est comme ça. Il insiste, mais il n'y a rien à faire. La voiture se met à fumer, je regarde la machine : les roues tournent, spinent, glissent, crissent, rien à faire. Il ne décolle pas. Il accélère, en arrière, en avant, il reste sur place. Désespérant. Ça doit être une nuit où l'on se dit que c'est une de ces nuits. Les roues vont dans tous les sens, à droite, à gauche, ça ne veut rien savoir. C'est à pleurer. Je ne bouge pas. La voiture non plus. Ça dure. Il tente un grand coup. Il appuie sur la pédale à fond. La voiture hurle. Il s'enfonce. Il s'écœure. Il s'arrête. J'attends. La portière s'ouvre. Le père Noël sort de sa voiture en disant : Tabarnac ! Il trouve une pelle en métal dans le coffre puis se met à casser la glace et pelleter la neige accumulée autour de chaque roue. Ensuite, encore dans la voiture, il recommence. Même manège. En avant, en arrière. Inutile. Impitoyable. Il ressort. Je ne bouge pas. Il me regarde.

— Qu'est-ce que tu fais là, toi ?

— Je vais à l'hôpital.

— T'es malade ?

— Non. C'est ma mère. Elle va mourir.

— Ah bon, a répondu le père Noël.

Il se tait. Il me regarde. Je sens qu'il veut me demander quelque chose. Il ne sait pas comment.

— C'est pas l'fun, il dit.

— Non, je réponds.

Un grand dialogue.

Je ne bouge toujours pas. Il se gratte la tête en regardant sa voiture. Ouain ! il dit. Je le vois venir. Il prend un petit temps de silence. Pour la forme sûrement. Pour pas que ça soit trop brutal. Je veux repartir, mais il est le plus rapide.

— Tu veux pas me pousser un peu ?

— C'est parce que ma mère est en train de mourir...

— Ça va juste prendre une minute !

Devant un pareil argument, je n'ai pas su dire non. Il remonte dans sa voiture. Il démarre. Je pousse. Ça ne décolle pas. On est pris. Il insiste. Je force. Pousse ! Pousse ! hurle le père Noël. J'ai tout son pot d'échappement qui me rentre dans la gueule. Pousse ! Pousse ! Mais je pousse ! T'as rien dans les bras, crisse ! Pousse ! Il faut faire quelque chose. Lui dire quelque chose. Que c'est pas sérieux, ou pas grave. Ça va s'arranger, il suffit d'être patient puisque tôt ou tard le soleil viendra tout faire fondre. La neige ce n'est pas la mort, ça s'arrange, ça ne reste pas pris autour des roues, il y a de l'espoir. Il faut que je lui dise, moi, au père Noël, que le temps passera et puis qu'il oubliera, bref il faut que je me dégage de tout ça. Il finit par comprendre. Il sort de nouveau, et là, vraiment, il n'a pas l'air content.

— Vous allez devoir appeler une remorqueuse, j'ai dit.

— Tabarnac ! a répondu le père Noël, et je suis parti.

Quelqu'un m'a mis un téléphone à la place du cœur. Un gros téléphone noir. À gros cadran. Quelqu'un cette nuit m'a ouvert la poitrine pour m'arracher le cœur. Plus rien qui bat en moi. Le monde entier qui sonne. Qui sonne. Décrochez ! Décrochez ! j'ai envie de hurler. Mais les maisons dorment encore. Les enfants rêvent encore. À quoi rêvent-ils ? Ils rêvent. Plus rien ne me sépare de l'hôpital. Pas une seule rue. Pas même un lampadaire. Un stationnement peut-être. Moi, au milieu des voitures garées en ligne. Cimetière. Moi, au milieu du stationnement. La porte de l'hôpital est vitrée. Bon Dieu. Merde. Merde. Mes pieds sont trempés. Stop. Arrêt. Arrêt. Retour en arrière. Case départ. S'il vous plaît. Ou alors un accident. Une voiture piégée. Un attentat, quelque chose, n'importe quoi. Je ne sais pas. Un tremblement de terre. Mais non. Rien que la neige qui tombe. Ça n'a jamais tué personne. La porte est vitrée. Un gardien derrière. Je le vois. Il fume sa cigarette. Il m'a vu. Moi, au milieu du stationnement avec mon téléphone dans le corps à la place du cœur. Mon téléphone qui sonne. Lève-toi, Wahab, lève-toi ! C'est le téléphone, il sonne, lève-toi, ce n'est pas un rêve, pas un train qui roule, pas une femme qui hurle, tu n'es plus un enfant, lève-toi et cours, prends à droite et prends le mur dans la figure. Marie m'avait dit Viens dormir à la maison, j'ai dit non. J'aurais pas dû. Le destin de mon cul. La porte vitrée est toute proche. Je décroche. Le gardien écrase sa cigarette. Allô ? Wahab ? Oui. Viens vite. Shlack ! Couteau dans la gorge. Le goût de son propre sang. Lumière. Porte. Corridors et escaliers, tempête, autobus et père Noël. J'entends son moteur qui se débat. Il n'y a plus rien. Je veux dire plus de rues, plus de maisons, plus de stationnement, plus de voitures. Plus rien. La porte vitrée. Je me vois dedans. Il faut que je rentre. Si seulement je pouvais dire « il » pour moi. Si seulement.

La chambre d'hôpital de ma mère. Je suis dans la chambre d'hôpital de ma mère. Vide. Personne. Il n'y a personne. Je ne comprends rien. Je ne comprends plus rien. Qu'est-ce qui s'est passé ? Je ne me souviens plus comment j'ai fait pour arriver là. Où ? Où tout est passé ? Je me souviens des portes vitrées et puis plus rien. Catapulté dans cette chambre vide. Il y a une chaise. Je m'assois. Je récapitule. Dring. Allô ? Shlack ! Sang. Neige. Noël. Moteur. Stationnement. Porte vitrée. Je me vois dedans. Il faut que je rentre. Si seulement je pouvais dire « il » pour moi. Si seulement. J'y suis. Je me souviens.

En traversant les portes vitrées de l'hôpital, le présent a retenu sa respiration. Apnée. Faut dire que je l'ai encouragé un peu. Je lui ai foutu ma colère dans le cul et je lui ai fait comprendre que s'il osait articuler un mot, une idée, une pensée, n'importe laquelle, j'allais lui vider mon chargeur dans le corps. Le présent s'est tenu à carreau, plus un cil qui bougeait, plus rien. Du coup, le passé non plus n'a plus remué. Vu la situation, j'imagine qu'il ne voulait surtout pas se faire remarquer. Il s'est dit : Mauvaise limonade, je reste tranquille. Il a retenu sa respiration. Ça ne pouvait pas durer, mais en attendant, plus de passé plus de présent, il n'y avait plus rien dans ma tête. Que des couleurs. Pas d'image, pas de visage. De simples couleurs. J'ai dû appuyer sur le bouton pour faire venir l'ascenseur, l'ascenseur a dû arriver et j'ai dû l'emprunter pour me rendre au quatrième, mais je n'arrive pas à m'en souvenir. Plus de passé plus de présent, je peux seulement le déduire, puisque je me suis retrouvé dans la chambre de ma mère. Pendant ce moment qu'a duré mon trajet aveugle, j'ai oublié la raison pour laquelle j'étais là et même, par une sorte de suspension de la mémoire, j'ai perdu la notion précise du lieu où je me trouvais. C'était autre chose. Une porte dérobée au fond de mon cerveau qui a fait jaillir un espace vierge sur lequel apparaissaient les formes et les couleurs qui allaient composer la toile que je tentais de peindre pour compléter la série de tableaux en prévision de l'exposition. Le galeriste m'avait dit : « Avec un peu de chance, votre mère pourra assister au vernissage.» Je ne l'espérais pas. De toutes les manières, je n'avais rien à craindre : en forme ou malade, elle ne serait jamais venue.

— J'ai trouvé le titre pour l'exposition, j'avais répondu.

— Ah oui ?

— Visage oublié.

Il n'a rien dit. Il a regardé mes toiles accrochées sur le mur de son atelier. Il a fumé sa cigarette jusqu'au bout. Il est de ces hommes qui réfléchissent sans le montrer. Visage immobile. Visage fidèle.

— Je ne vous dirai rien tant que je n'aurai pas vu votre dernier tableau.

J'en suis resté tout con.

— Quel dernier tableau ?

— Il vous en manque un.

Je les ai regardés.

C'était une série de vingt portraits abstraits où l'on voyait, de toile en toile, émerger le visage ancien de ma mère. Tout y était. Il n'y avait rien à rajouter. Ça ne pouvait pas être une contrainte d'ordre commercial, c'était pas son genre. Je ne comprenais pas.

— Vous savez, j'ai dit, ça ne me dérange pas, mais que j'en fasse un de plus ou un de moins, ça ne changera pas grand-chose à l'affaire.

— Il vous en manque un. D'une autre nature. Je ne peux pas vous dire ce que c'est, c'est à vous de le trouver. Je peux vous dire qu'il n'est pas là. Mais il viendra. Il faut attendre.

J'ai attendu. Il n'arrivait pas. Il m'a fallu faire tout ce chemin pour qu'il m'apparaisse au cours de ce trajet aveugle qui m'a entraîné le long des corridors obscurs de l'hôpital. En tournant le coin ou en sortant de l'ascenseur, peut-être, j'ai vu le dernier tableau. Voilà qu'il m'était révélé et son titre même embrasa ma conscience : portrait en taches de la femme aux membres de bois. J'ai frissonné. La simple idée de la mettre en image, de lui donner forme et vie, m'a foutu une frayeur insupportable. Je me suis dépêché, je ne voulais plus rester seul, j'avais hâte de les retrouver tous, les cousins et les cousines et toute la famille éplorée. Mais la chambre de ma mère était vide. J'y suis arrivé sans même m'en rendre compte. Le présent n'en pouvait plus. Advienne que pourra, s'est-il dit, et, désespéré, il a repris son souffle, me ramenant à lui. Aussitôt, plus de toile. Plus de couleurs, plus de formes, plus de femme aux membres de bois, plus rien que le présent dans la chambre de ma mère. Je reviens à moi et tout me revient. Le passé n'en peut plus. Il retrouve sa respiration. Dring. Allô ? Viens vite. Shlack ! Tempête, autobus, père Noël, et puis ? Je déduis : ascenseur, quatrième, corridor, chambre, personne. Je m'assois. Je récapitule. Je m'y retrouve. Où sont-ils tous ? Pas de mère, pas de famille, pas de morte, seulement un lit et la fenêtre aux rideaux ouverts sur la tempête. La ville s'envole, ou c'est moi qui meurs. Voilà le mirage : je meurs, et je crois me rendre au chevet de ma mère alors que c'est elle qui doit être là avec les autres qui me pleurent. Mais le présent respire fort et le mirage ne résiste pas. Je sors de la chambre, je vérifie. C'est bien là. L'infirmière de nuit sort de la chambre voisine. Elle referme la porte et se retourne. Elle me voit. Les murs des corridors sont vert pomme. Ils font exprès. Les décorateurs intérieurs des hôpitaux sont les personnes les plus sadiques et les plus dangereuses que je connaisse. Elle me dit : Non... on l'a transférée aux soins palliatifs.

— Ah ! je dis.

— On vous a appelé ?

— Oui.

Elle est désolée pour moi. C'est sincère. Elle est belle. Elle m'indique où sont les soins palliatifs. Au sous-sol. Elle est belle. Une belle bouche. On attend l'ascenseur. Elle me dit : Désolée encore une fois, me sourit, et moi je suis en train de lui faire l'amour. Je lui dis merci. On est dans l'ascenseur. Elle va au deuxième. Je vais au sous-sol. S'il pouvait y avoir un miracle. N'importe quoi. L'ascenseur qui se bloque, l'infirmière et moi prisonniers, plus possible de communiquer avec l'extérieur... elle m'embrasse, je détache les boutons de sa blouse et on fait l'amour. L'ascenseur s'arrête, les portes s'ouvrent, elle me sourit encore, elle s'en va ; je plonge mes yeux dans son cul, les portes se referment. Merde, merde, merde, merde. Sous-sol. Conneries. Les portes s'ouvrent. Un long corridor rose pâle avec des décorations de Noël accrochées un peu partout.

Putain. S'ils pouvaient nous lâcher un peu avec leurs décorations de merde, c'est assez laid sans en rajouter. J'avance, je tremble, des chambres de chaque côté et des vieux qui crèvent. Pas aujourd'hui, mais demain. J'entends quelqu'un dire : Elle était jeune. Un autre qui demande : C'est laquelle ? Je ne sais pas si on lui a répondu, je ne suis plus là. Drôle d'endroit pour y mettre des mourants. C'est pour les habituer. Ça doit être ça. On les place sous terre pour faire connaissance, mais on les y met ensemble, pour pas que ça soit trop dur, pour les prévenir : « Vous voyez, vous allez mourir dans un jour ou deux... et ça va être comme ça, mais tout seul et en plus petit, sans lumière et sans décorations de Noël. » Au bout du corridor, il y a un attroupement, c'est là. Je vois ma tante. C'est une grosse, une obèse. Une émotive. Elle va pleurer en me voyant. Elle va tellement être sûre de ce que je ressens qu'elle va vouloir me consoler. Cette connasse pense que je suis triste parce qu'à la télé, quand on perd sa mère, on est triste. Alors elle va me tomber dessus. Merde. J'en ai marre de tout ce cirque. Il y a des toilettes. Je rentre, je baisse mon pantalon et je me branle. À fond. Je baise l'infirmière par tous les trous. Je jouis profondément. Profondément. Pardonne-moi, Marie. J'arrive à la chambre. L'obèse me tombe dans les bras. Elle meugle quelque chose. Je les hais tous. Je ne sais pas pourquoi, mais je te les mitraillerais sans rancune. Ils sont tous là. Je les rejoins dans une chambre qui fait trois mètres sur quatre, occupée par un lit simple, et dans ce lit simple, il y a le corps de la femme à la longue chevelure blonde qui agonise. Elle a les yeux ouverts et regarde le plafond et de ses entrailles, à chaque expiration, surgit un râlement. Ma sœur Nawal lui tient la main et l'obèse est derrière le lit, penchée sur son visage, et lui hurle dans les oreilles des choses infâmes : « Mariamme, Mariamme, tu es belle, mon amour ! » Mais ferme ta gueule, ferme ta grosse gueule de grosse vache, salope ! Je ne dis rien. Il y a les autres, les oncles et les tantes. Tous regardent. Mon père est là. Je le regarde. Nidal est à mes côtés. Tout le monde semble catastrophé. J'enlève mon manteau. Je le pose sur une chaise placée au bout du lit et sur laquelle personne ne semble avoir envie de s'asseoir. Ma mère râle. Elle râle et j'ai honte. Bon, elle crève, oui ou merde ? On s'habitue à tout. À tout. Les râlements ne dérangent plus. Je pense à autre chose. Je m'ennuie presque.

Une infirmière arrive. Tout le monde se pousse un peu pour lui faire de la place autour du lit. Elle se penche vers le visage qui meurt. La femme à la longue chevelure blonde râle toujours. L'infirmière lui caresse le front. Elle est calme. Rien de tout ça ne l'émeut. Les mauvaises langues diraient que c'est l'habitude. C'est vrai. Elle doit en voir mourir à longueur de journée. Mais qui a dit que les prostituées n'étaient pas capables d'amour sous prétexte qu'elles se font passer dessus huit fois par jour ? Les prostituées connaissent la valeur du verbe aimer. C'est pareil. L'infirmière connaît la valeur de la mort et ne s'émeut pas, parce qu'elle sait, elle, que c'est la seule manière de respecter les agonisants. Moi, si je pouvais être seul avec le corps de ma mère, je ne lui hurlerais pas des conneries. Au contraire, je lui parlerais à l'oreille. Je lui dirais de ne pas avoir peur. Je lui dirais que la mort est venue la chercher et qu'il n'y a pas d'émotions à avoir, car la mort vient pour tous. Je lui dirais, en chuchotant, que ce qu'on appelle la mort est venu. Je lui dirais de ne pas faire comme les oiseaux qui restent accrochés à leurs branches alors que les chasseurs sont là et qu'ils les ont en mire au bout de leurs fusils. Très bas à l'oreille, je lui dirais que l'on commence dans le ventre de sa mère et que l'on finit dans le ventre de la terre. Entre les deux, un peu de lumière et que c'est à présent son tour de lâcher prise. Si je pouvais encore l'appeler par son nom, je lui parlerais : «Maman, je lui dirais, prends ton envol.» Et malgré ses râlements, dans les interstices de son souffle, je saurais qu'elle m'écoute, comme au temps précieux où je lui massais les pieds. Maman, nous sommes des oiseaux. Nous arrivons dans la vie en criant. En criant nous nous accrochons à notre branche. Et nous restons agrippés, agrippés, agrippés à cette branche. Tout le temps de l'existence, le sang coule de nos pattes, mais nous ne lâchons pas prise ! À nos côtés tous les autres. On les voit tomber. Et nous ne bougeons pas. Une fleur au milieu du champ nous fait dire : «Que la vie est belle.» Les autres tombent dans leur tombe et nous ne bougeons pas de notre branche. Les autres, on peut les battre, les blesser, les tuer, on reste agrippés parce que la tendresse sera peut-être là et elle sera peut-être pour nous. Mais pourquoi est-ce qu'on ne s'arrête pas? Depuis longtemps, maman, tu as quitté ta terre natale pour chercher la vérité, et tu as trouvé haine, sang, massacre et maladie, et nous faisons comme les oiseaux, accrochés à la vie. Libère-toi, ma mère. Pas à pas, jusqu'au dernier, souffle ton dernier souffle et sois tranquille.

Tout cela est impossible. Je veux dire que je ne peux pas leur dire de sortir tous et me laisser seul avec elle, d'autant plus qu'ici, c'est le règne de l'émotion. Seuls ceux qui sont émus ont droit de parole. Je leur en foutrai de l'émotion, moi. Putain de merde. Ils sont là à regarder l'infirmière écouter le pouls d'une femme qui meurt. Droite, l'infirmière ne cligne pas des yeux, elle fait ce qu'elle doit faire, et pour ne pas être compris d'elle, les autres, ma famille, mes tantes et mes cousines et mon oncle, celui-là même qui a joui dans sa chaussette, parlent entre eux ma langue maternelle.

— Elle n'a pas de cœur, cette infirmière, dit l'obèse.

— Elle s'en fout, c'est pas sa mère qui meurt, pas sa sœur, elle s'en fout, elle ne la connaît pas, ajoute l'éjaculateur à chaussette.

— Ils ne savent pas vivre, les gens de ce pays.

— Vous pourriez peut-être fermer votre gueule !

C'est Nidal qui les fait taire. Je l'aime, Nidal. Dans les situations d'urgence, il est celui qui réagit le plus vite. Lorsque je me suis caché derrière la cage d'ascenseur, n'osant plus rentrer à la maison, c'est lui qui m'a sorti du néant en me donnant l'idée de faire une fugue. L'infirmière se lève et sort; ça ne semble pas être pour tout de suite, la femme à la longue chevelure blonde agonise. Comme les oiseaux qui ne s'envolent pas de leur branche malgré leurs compagnons qui tombent sous les coups des chasseurs, les êtres s'agrippent à l'existence. C'est comme ça. Au dernier moment, la vie se raccroche et pour les autres, les vivants, attendre que la mort vienne, c'est long comme l'éternité. Je n'en peux plus. Je sors de la chambre.

Je me retrouve dans le corridor. Au fond, à droite, l'ascenseur par où je suis arrivé. Je pourrais fuir. Encore fuir. Me casser. Les laisser là. De toutes les façons, ils ne remarqueraient rien. Ils sont tout à leurs effusions. Je pourrais me tailler. Mais quelque chose me retient. Une étrange sensation d'ivresse. Pas de bonheur, non, pas de légèreté, non, pas de joie, non. D'ivresse. Ça ne dure pas. Comme il y a longtemps, couché dans le lit de Colin, réfugié chez lui, au creux de sa chambre, je me suis réveillé flottant dans l'air, tenu là, hors des remous du monde et de ses dispersions, par la main tranquille et féroce de l'ange qui me protégeait du néant. Là, pareil. Une euphorie incompréhensible. Je ne comprends pas ce qu'elle vient faire. Elle m'entraîne un instant loin de la douleur puis m'y ramène aussitôt. À nouveau la colère. Je reste debout avec la conviction que je dois, coûte que coûte, demeurer ici.

Tournant le dos à l'ascenseur, je vais au bout du corridor. Là, il y a une petite salle d'attente. Un sapin de Noël synthétique dans un coin, de faux cadeaux à son pied, un piano droit, et toujours les décorations. Une guirlande dorée suspendue en haut du mur est accrochée, de part et d'autre, par des petits rubans adhésifs. Elle ressemble à toutes les guirlandes, elle est triste et banale. Je la regarde. En lettres vertes, dans une calligraphie vaguement moyenâgeuse, il y a le fameux : «Joyeux Noël et bonne année / *Merry Christmas and a happy new year*». Bon. «Joyeux Noël / *Merry Christmas*», ça va être difficile, mais «Bonne année *and a happy new year*», je ne suis pas contre, seulement je ne sais pas comment faire pour y arriver. Je m'assois sur un sofa. Il y a quelques revues sur une table basse. Une vraie salle d'attente. Attente de quoi? «Veuillez, s'il vous plaît, patienter ici, votre mère ne tardera plus à crever, ce ne sera plus très long.» Merde. Juste à y penser, ça me fout la gerbe. À quoi ils ont pensé pour mettre une salle d'attente aux soins palliatifs? C'est sûrement de l'humour noir. Du sadisme. Ils ont même placardé une petite pancarte au mur, juste à l'entrée : «Salle d'attente». Pour éviter les confusions. Ils veulent être certains que nous allions comprendre : salle d'attente et rien d'autre. Connards ! Je veux me réveiller. Je veux essayer. Allez ! Hop ! Debout là-dedans ! Rien à faire. Je fais beaucoup d'efforts. Mais rien. C'est comme ça. Comme un couteau dans la gorge.

Il y a longtemps, juste avant que la police ne me retrouve et me ramène à la maison, je me suis retrouvé assis à côté d'une jeune fille qui ne parlait pas. Maya. Maya par qui la beauté m'avait été donnée. Nous étions tous deux au plus profond d'une tempête, au chevet de son grand-père. Je me souviens alors que pour moi aussi la vie était un songe. Le grand-père m'avait parlé des loups et les loups m'avaient libéré de mes craintes. Maya venait de retrouver la parole et cela m'avait sauvé, mais il m'a fallu me réveiller car la police m'avait retrouvé et allait me ramener à la maison. Et là, aujourd'hui, dans cette salle d'attente, face au sapin synthétique placé là par l'administration de l'hôpital, il me semble que tout cela appartient à une époque ancienne. Un temps où je disais « il » pour moi, une époque révolue où le visage de ma mère était encore gravé au fond de ma mémoire. Mais le temps passe, puis une nuit, ni bonjour ni bonsoir, dring. Allô ? Shlack ! Tempête. Autobus. Père Noël. Salle d'attente.

Je prends une revue. Il y a un test : « Sexualité : Madame, êtes-vous normale au lit ? » Première question : Quand vous faites l'amour, vous regardez votre compagnon pour : a) Mourir dans son regard et y voir tout l'amour que vous avez pour lui; b) Voir dans son visage le visage d'un autre; c) Voir son visage se troubler, vous supplier, vous implorer et mourir de plaisir; d) Voir dans son regard votre propre visage qui jouit à en perdre la vie. Je ne sais pas. Je n'appartiens pas à ce monde. Je ne sais pas ce que c'est mourir, même si l'inconscience de tout ça me tue. Tout à l'heure, lorsque ce sera terminé, j'appellerai Marie pour lui dire que nous nous sommes connus avant. Avant notre rencontre. Pas dans une autre vie ou une connerie du genre, non ! Qu'on s'est déjà rencontrés. Je lui dirai qu'avant il m'arrivait d'avoir des apparitions et qu'elle m'était certainement apparue. Je lui raconterai ma fugue, et je lui raconterai comment, un matin, alors que l'hiver écrasait le monde, le soleil s'était levé avec une telle force que, d'un seul coup, toute la campagne avait éclaté de lumière. Je lui dirai que cette lumière, c'était elle, prémonition de notre rencontre à venir et que par là elle avait su me redonner courage. Je lui dirai. Assis dans ma salle d'attente, j'ai une envie folle de pleurer. Non pas parce que ma mère va mourir, mais parce que j'ai la conviction qu'entre Marie et moi, c'est, comme on dit, «terminé». C'est absurde et bête, cette conviction. Mais c'est comme ça. Un amour qui a la fragilité de l'adolescence résiste difficilement à un tremblement de terre. La croisée des chemins où nous sommes arrivés est sans merci, mais Marie s'en moque et tant pis si tout cela doit cesser, elle sera là jusqu'à ce que je puisse m'évader loin de la peur. Deuxième question : La sodomie est pour vous : a) Un fantasme inassouvi que vous n'osez pas réclamer à votre compagnon; b) Un plaisir dont vous ne pouvez vous passer trop longtemps; c) Un acte qui vous dégoûte mais que vous acceptez pour combler votre homme; d) Ça ne vous intéresse tout simplement pas. Je referme la revue avant de mourir pour de bon. Putain ! Il n'y a rien, ici, rien pour parler doucement aux gens. Pour aider un tant soit peu. Est-ce que la femme à la longue chevelure blonde qui meurt à côté revoit, au milieu de son agonie, le temps radieux où son corps frémissait aux caresses de l'amour ? Je suis né de ce frémissement. Le revoit-elle ? Est-il présent à sa mémoire ? Avec Marie, on est champions toutes catégories du frémissement. La douceur est notre monde. Notre langage. Quand on était encore à l'école, on se retrouvait à la fin des cours dans un petit local, occupé le jour par l'équipe du journal étudiant. J'avais mes copains là. J'avais fini par avoir la clé. Une fois tout le monde parti, les corridors de l'école déserts et le soir venu, je refermais la porte, et avec Marie on faisait l'amour. Mais un amour pour rien. Sans orgasme. Sans orgasme pour moi. On gardait nos pantalons. Marie se frottait longtemps. On s'embrassait, nous goûtions les lèvres de l'autre, et puis il y avait ce moment où tout se bouleversait dans les yeux de Marie. Tout son visage se transformait. Je ne lui disais rien. Je la laissais prendre le visage qu'elle

242

voulait. Refaire l'infini. Mais je ne lui disais rien. Marie retrouvait toujours son visage. Je savais que ces écarts, dus à l'exultation de son corps, n'avaient rien de tragique. Le lien ne se brisait pas. Marie m'a dit hier Viens dormir à la maison. J'ai dit non. Au fond, j'ai bien fait. Bientôt, il nous faudra nous séparer. Nous avons été compagnons de route et d'infortune; avec la mort de la femme à la longue chevelure blonde, nous voilà arrivés au lieu même de toutes nos fractures. Pleurer n'y changera rien. La peine n'est rien. Au fond, je savais que Marie et moi ce n'était pas pour toute la vie, que c'était un amour comme ça, comme les fleurs vendues dans la rue, des jonquilles... des pervenches qui est bien le plus beau mot de ma courte vie, car c'est un mot qui chante et dont un jour un homme triste et pauvre m'a fait cadeau. Avec Marie c'est sûrement de l'amour, mais pas de ceux dont on nous parle à la télévision, pas de passion, pas de pleurs ni de crises, pas d'émotions pour faire semblant, pour faire chier, pour mettre mal à l'aise, se vautrer. Non. Des sensations à plein. C'est un amour qui dure le temps d'une éclaircie. C'est un amour fragile qui nous a conduits, Marie et moi, à plonger notre adolescence dans une tendresse réciproque d'où sont nés les adultes que nous sommes devenus. Il n'y a pas d'histoire à faire avec un amour pareil. C'est là, du moins, la sincérité que Marie m'aura appris à avoir. Avant je mentais à la moindre occasion. Pour me sortir des mauvais pas. Pour ne pas faire de la peine. Pas me faire engueuler. Mais de la peine, j'en ai fait plein, et pour ce qui est de se faire engueuler, j'ai tellement donné que j'ai le cœur en ruine. Comment fait-on pour reconstruire ? Plus personne pour vous réapprendre à parler. À parler. À compter. Réfléchir. Le brouillard de l'oubli a, depuis, noyé l'époque étrange et éternelle de l'école. Où sont passés les copains ? Jules, Hubert et Arthur, qui m'avaient fait don de leur argent de poche ? Et Colin, porte-t-il encore au fond des yeux la douleur de son chat pendu ? Où sont-ils tous ? Que font-ils ? Et Maya ? Parle-t-elle toujours ? Julien est-il revenu ? Monsieur Guettier, où êtes-vous ? Vous m'aviez pris par la main et vous m'aviez entraîné, m'aviez protégé des rires moqueurs et vous aviez séché mes larmes. Vous m'aviez parlé si doucement, vous m'aviez dit... quoi ? que j'étais devenu un homme et qu'il est difficile de devenir un homme... Allez ! Je vous pardonne... et au fond, on s'en fout aujourd'hui de ce que vous avez pu me raconter puisque votre présence comptait plus que toute autre chose... vous et moi... Vous qui parliez, moi qui pleurais... je ne vous ai pas rendu la tâche facile. Où êtes-vous ? Que faites-vous ? Trop tard pour répondre. S'arracher à la mélancolie. À l'ennui. Assumer le présent. Le présent. Salle d'attente. D'accord.

Dans la salle d'attente, pas loin du sapin, il y a le piano droit. Je ne sais pas jouer, mais bon. C'est pas grave. Je m'y assois. Je caresse les touches. Je fais résonner quelques notes. Les blanches. Les noires sont trop dissonantes. Je ne sais pas jouer, mais du fond de ma nuit remontent des accords entendus. Des notes qui se mêlent à ma propre voix, mes propres mensonges. Judith, Judith, venez vous asseoir à mes côtés. Judith arrive. Elle arrive avec son sourire, son sourire que j'aimais tellement. Elle est là, avec moi dans la salle d'attente. Elle s'assoit sur le banc du piano, elle prend mes mains et les pose sur les touches. Doucement... pour ne pas déranger ma mère. Vous vous souvenez, Judith, je vous avais raconté des histoires pour avoir le courage de vous demander de jouer moins fort du piano. « Ma mère a le cancer. Il faut qu'elle puisse se reposer. » Je ne mentais pas tant que ça. J'avais vu juste. Peut-être même que j'avais lancé un sort. L'adolescence est bête et, à cette époque, je faisais de mon mieux. Regardez où nous sommes... une salle d'attente... On dit qu'à l'instant de la mort, on revoit défiler toute sa vie. À vous revoir devant moi, je dois être en train de mourir. C'est ça. C'est ça, Judith ? Dites-le-moi. Il y a si longtemps que je n'ai plus eu d'apparition. Vous ne me répondez pas. Nous revoilà dans votre appartement, vous allez me chercher un verre d'eau et vous êtes si heureuse de ma visite. Je revois votre piano et votre chat... Pétra... C'est ça, Pétra... Qu'est-ce que c'est l'âge ? Vous n'aviez pas su me répondre. Une question trop grande. Vous ne saviez pas. Ce n'est pas grave. Je sais aujourd'hui : une manière de nous y retrouver un peu, nous retrouver face à la grande peur de notre vie. Cent ans c'est rare, alors on sait où se trouve la mort. Judith, vous m'écoutez et vous souriez. J'ai une autre question aujourd'hui. Judith, dites-moi, répondez-moi... La mort, quand on y est, qu'est-ce qu'on fait ? a) On fout le camp. b) On se pend. c) On devient fou. d) On essaie de pleurer. Vous êtes partie chercher un verre d'eau à la cuisine, mais vous ne revenez pas, vous ne revenez plus. Le chat disparaît et puis l'appartement s'efface. Il s'efface. Le temps approche. Je veux dire c'est pour bientôt, le grand sacrifice, la grande rencontre. Je le sens, je le sais. Salle d'attente et sapin synthétique. Il n'y a plus d'échappatoire. Merde. Avant, il y avait une porte dérobée au fond de ma tête. Dans les situations désespérées, j'arrivais à trouver le chemin pour m'évader. Longtemps, j'ai peint sans le dire à personne, et ce geste de couleur était pour moi le lieu même de ma liberté. On pouvait m'engueuler, me frapper, me tuer, je me disais : Oui, mais moi je peins. Et c'était là un acte de survie. Même de l'enfer, j'arrivais à triompher... l'enfer... je me souviens... la police m'avait retrouvé et m'avait ramené chez moi. C'était la honte. Ridicule. Humiliation assurée : « Alors, on a fait une fugue ? » Déjà les deux flics s'en permettaient un peu. « Tu es notre onzième fugueur en cinq jours. »

— Vous êtes vraiment des types épatants, j'avais répondu.

On s'est retrouvés devant la porte de l'appartement. L'un deux a voulu sonner, je lui ai fait signe de laisser tomber. J'avais ma clé. Cadeau d'anniversaire. J'ai ouvert la porte. Les policiers partis, la porte refermée, il ne s'est plus rien passé. À nouveau dans le corridor. Ils étaient tous là. La famille. Ils me regardaient. La femme à la longue chevelure blonde en tête. Jusqu'au bout j'avais espéré que tout cela allait s'arranger, du moins que j'allais être en mesure d'y comprendre quelque chose. Mais non. Rien. Les visages perdus. Rien à faire. Ils me regardaient, mère père sœur frère, et je savais que quelque chose suivait son cours. Un sacrifice humain venait d'avoir lieu... quelqu'un était en train de mourir, quelque chose comme une gorge tranchée, et c'était déjà le goût de mon propre sang au fond de la bouche. Mais là encore, au cœur de cette humiliation, j'avais découvert une porte dérobée. Le silence. Maya m'avait fait comprendre que j'avais le droit de me taire, que le silence était notre domaine, un domaine dont elle fut, durant des années, une de ces magnifiques princesses et qu'à présent ce domaine m'avait été confié puisque en parlant, Maya l'avait quitté pour m'en faire cadeau. Le silence était grand. Je n'avais pas fini de le découvrir. Face à la femme à la longue chevelure blonde, il me disait de ne pas m'inquiéter. Qu'en me rattrapant, on avait rattrapé ce que l'on savait de moi. Ce que l'on savait de moi. Mais le reste, cette partie si petite qui est faite pour que l'on croie en elle, est sans cesse en chemin, belle comme les couleurs de l'aube. Le silence était éternel.

— Va te coucher, demain tu as école.

Ce furent là les seules paroles prononcées, et plus jamais il ne fut question de ma fugue ni de toute cette aventure qui a été pour moi une grande déchirure, la seule capable de m'arracher à la laideur d'un monde dans lequel on essayait de m'engager. Avec les années, le silence s'est transformé en couleurs étalées avec colère sur les toiles de mes vertiges. Tableaux où j'ai tenté de retrouver d'abord la forme des visages aimés et perdus, puis leur poésie et leur colère et leurs chagrins, tableaux par centaines où des espaces se sont éveillés avec des fracas de bleu en mille nuances, faisant de l'aventure de la beauté une plongée au cœur même de la violence et de la peine de ce qui avait rendu mon existence ennuyante. Les années ont passé. « Que fais-tu de ta vie, Wahab ? »

— De la peinture, maman.

— Mais ton métier.

— Je vais peindre. Faire de la peinture.

— Qu'est-ce que c'est encore que ces histoires ?

— Ce ne sont pas des histoires, ma mère. Des portraits.

— Des portraits, quels portraits ? De quoi tu parles ? Portraits de quoi ?

— De toi... de ton visage... pour me souvenir... ne pas t'oublier... je vais peindre.

C'était la catastrophe. Aurait-elle pu comprendre que ce que je lui offrais là était une forme de réconciliation? Un espace pour nous retrouver? Au lieu de cela, c'était comme si je refaisais une fugue. Mais là, impossible de me rattraper. Ça n'existe pas une police qui a le pouvoir de ramener vers les métiers rassurants ceux qui ont été happés par la vague tumultueuse de l'existence, les précipitant dans les entrailles de la peinture. Il n'y avait plus rien à faire, plus rien à faire. Maya avait rempli cette mission secrète que l'ange, qui m'est apparu dans la chambre de Colin, lui avait confiée. Ma mère, au visage disparu, et les autres ont réalisé que le domaine du silence, dont j'étais le prince, était à présent celui du songe, et par le fait même j'étais devenu un rêveur. «Que fais-tu de ta vie, Wahab?»

— Je ramasse des idées, ma mère, et je les berce jusqu'à ce qu'elles s'endorment. En s'endormant, les idées se mettent à rêver. Je peins les rêves des idées que je trouve.

— Et ça rapporte combien?

— En angoisses et en peurs, beaucoup.

— Mais qui t'a donné ces idées? Il n'y a personne dans la famille qui fait ça. Personne. D'où ça te vient?

Je ne pouvais pas trahir Maya. J'ai risqué le tout pour le tout.

— Tante Mathilde...

— Celle-là, je savais qu'elle allait te pervertir l'esprit. Tu vas me tuer, tu vas finir par me tuer.

À force de le répéter, elle a fini par tomber malade. «Tu vas me tuer.» Elle l'a répété souvent et devant chacune des toiles que je lui montrais. J'ai arrêté de lui montrer. Ne plus la convaincre. Ça l'inquiétait tout à fait. «Tu vas me tuer!» Au début on se dit que c'est une métaphore, puis une nuit, ni bonjour ni bonsoir, shlack! Couteau dans la gorge, dring, allô? Tempête. Salle d'attente. On y est.

Comment continuer maintenant ?
Je veux dire continuer pour aller où ?
On n'a pas le choix.
Dernière ligne droite.
Je pianote toujours. Tout doux. Sans faire de bruit. Note après note. Mon frère surgit. Le présent est le maître. Il se venge.

— Wahab, viens. C'est maintenant.

Ce sont ses propres mots. Viens. C'est maintenant. Ses mots. Je n'invente rien. Il repart. Sans attendre. Bon. Je le suis. Je ne vois rien. J'oublie tout de ce trajet. Je le suis. Pas à pas. Brouillard. Je me retrouve dans la petite chambre. Je ne me souviens pas y être entré. Je suis debout, entre la porte à ma gauche et Nidal à ma droite. Lui et moi plaqués contre le mur. Toute la famille est là, il s'est même ajouté une cousine ou deux. L'infirmière, seule, est assise sur le lit ; ma sœur au visage perdu tient la main gauche de la femme à la longue chevelure blonde, et l'autre grosse truie hurle sans cesse :

— Mariamme, Mariamme, on est avec toi.

Oui. Vachement qu'on est avec elle. Elle meurt, et toi tu vas bouffer du magret de canard au repas d'enterrement, c'est certain qu'on est avec elle, toi en première ligne, connasse. Mais je ne dis rien. La femme à la longue chevelure blonde agonise. L'infirmière attend. La grosse meugle.

— Mariamme, Mariamme...

L'infirmière s'écœure.

— Madame, taisez-vous ! Elle a besoin d'être seule pour mourir !

Elle s'est fermée. Ils ont tous fait silence. Seules les expirations sonores... mais les râlements de la mort, ça aussi c'est le silence. Je regarde le ventre de ma mère, son ventre qui s'étire et se détend pour les toutes dernières fois de sa courte existence. Je regarde son ventre. Il n'y a pas si longtemps, j'y étais. Elle m'a porté et a accouché de moi en poussant les mêmes cris que son agonie arrache de ses entrailles, et parce que j'ai connu ses entrailles, pour un instant, je deviens frère de l'agonie. Je la vois mourir. Je vois son ventre mourir. Plus rien ne peut m'y faire entrer à nouveau, m'y faire retourner. L'histoire est désormais ancienne. J'ai le sentiment qu'en assistant à sa mort, j'assiste aussi à ma propre naissance. Stop ! C'est là. Ma mère meurt. Son visage se crispe, ses muscles se tendent. Elle va lâcher la branche. Sa tête tombe sur le côté, vers la porte, vers mon frère et moi, elle souffle son dernier souffle, le dernier, qui s'étire et au bout duquel un peu de sang noir coule de sa bouche, comme le dégoût qu'elle a de cette vie faite d'inquiétudes, de cris, de peines... Puis rien. On attend l'inspiration nouvelle. Mais rien. Plus d'air. Fixe. Statue. Voilà. Elle s'est tue.

La page est tournée. Point final à sa vie. La couverture du livre qui se referme, bientôt le couvercle du cercueil sur son visage oublié. Le registre de son existence achevé. Je lève la tête. Je ne sais pas pourquoi. Pour regarder ailleurs. Je vois l'heure au-dessus de moi.

L'horloge de la chambre indique sept heures précises.

Le destin lui a fait ce maigre présent de l'emporter à une heure ronde. Silence. Silence. Silence. Tout le monde fait silence. Plus de larmes, plus de sanglots. La mort. Je les regarde. Ils fixent le cadavre. J'entends une voix gronder en eux : « Je ne veux pas finir comme ça. » La peur leur ferme la gueule. Bon. C'est sûr, cet état de dignité généralisé qui s'est imposé à l'assemblée ne peut pas durer longtemps dans une famille pareille. Voilà le naturel qui reprend le dessus. Tout s'effondre. Ça recommence. On s'émeut. Et comme la morte est morte, on peut s'en donner à cœur joie. Putain. Ils ne pleurent pas, ils ne hurlent même pas. Ils braient. Ils lèvent la tête et s'étranglent dans leurs hululements. Je commence à envier la morte. Elle ne peut plus les entendre. Nidal, seul, fait de ses larmes des perles de silence. Appuyé sur moi, il pleure la mort de sa mère. Ma peine est grande pour lui. Je jette un coup d'œil vers Nawal. Elle ressemble à ces athlètes qui reprennent leur souffle après avoir couru un cent mètres. Je la regarde. Je la trouve belle dans sa fatigue. De nous tous, elle est clairement celle qui a remporté l'épreuve. Elle ne pleure pas. Mon père ne pleure pas. Il a trop souvent vu ça à la télé. C'est comme moi. Je ne pleure pas. Je suis en plein tournage. Je me dis que ça pourrait faire un très bon début de film. Mais encore une fois : je ne suis le héros de personne. Je ne pleure pas. Les autres font ça très bien à ma place. L'infirmière finit par nous demander de sortir. Elle doit nettoyer la morte, enlever le sang, lui fermer les yeux et lui placer les bras dans une position convenable. Faut ce qu'il faut. L'obèse s'attarde. Elle veut se coucher dans le lit. Elle se fait dramatique. Théâtrale. L'infirmière la fout dehors. Le temps presse. Le cadavre va raidir. Après, c'est toute une aventure pour lui plier les bras, lui tourner le cou, lui replacer les jambes. La mort a ses exigences qui règlent les effusions. L'infirmière referme la porte de la chambre. On se retrouve tous dans le corridor, sous les décorations de Noël. Le ridicule ne tue pas. Dispersions lamentables, pleurs artificiels, un croque-mort est là et attend, majestueux, de pouvoir prendre les mesures. Bon. Je n'ai plus rien à foutre ici. Je veux me casser. Nawal s'approche de moi. Un instant, au fond de ses yeux, je crois retrouver le visage ancien que je lui ai connu. Je devine aussi son désarroi et sa peine. Mais il y a toujours chez elle cette tendresse dont elle ne s'est jamais départie.

— Qu'est-ce que tu veux faire, Wahab ?

— Je vais y aller. J'accroche mes toiles ce soir. J'expose dans dix jours. J'ai trouvé mon dernier tableau.

— T'as besoin d'argent ?

— Non, ça va.

— Je vais t'appeler ce soir.

— Je vais être chez Marie.

— Tu as besoin de quelque chose ?

— Si tu venais au vernissage, Nawal, ça me ferait très plaisir.

Elle comprend. Elle m'embrasse. Je veux partir. Mon manteau. Où est mon manteau ? Où est mon... Putain !

Merde !

À quoi ça tient ! Ça arrive toujours du côté où on l'attend le moins. Une fin n'est pas une chose que l'on peut décider. On peut essayer, mais va te faire foutre, on se fait toujours avoir. Un tableau, on ne sait pas que c'est fini, et puis voilà, c'est fini. Un évènement. Vous êtes là à vous préparer à ajouter un bleu outremer clair, ou un mauve de Florence, le pinceau à la main, vous vous tournez une seconde pour regarder par la fenêtre, vous ramenez votre regard sur la toile, et voilà. Le tableau était fini. Un évènement. Oubliez les plans, les décisions, les structures... Oubliez vos couleurs. C'est comme ça. Rien à faire. Ça ne nous appartient pas. Et là, pareil. Je croyais en avoir fini. Je m'en allais. J'ai embrassé ma sœur et je m'en allais. Putain. Ça ne tient à rien. À rien... Un manteau ! Qu'est-ce que c'est un manteau ? C'est l'hiver dehors. Le froid. La tempête. Je pourrais partir sans. Je pourrais... Mais c'est un signe tout de même. Évident. Du calme. Tout n'est pas perdu. Je l'ai peut-être posé ailleurs, dans la salle d'attente, par exemple... C'est idiot... J'ai envie de gagner un peu de temps... C'est clair. Je sais très bien où il est, mon manteau. Il est là, dans la chambre de la morte, sur cette petite chaise au bout du lit sur laquelle personne ne voulait s'asseoir. Merde ! La porte de la chambre est close. J'imagine un instant le corps de la femme à la longue chevelure blonde, veillé par un manteau. Un corps, c'est quoi ? C'est un costume sans plus personne dedans. Un costume qui veille un costume. Pas de fils, pas de mère. Les habits seulement.

Ça ne tient à rien. Vraiment à rien. J'allais partir. J'ai embrassé ma sœur et je m'en allais. Merde ! Soit j'y vais tout de suite, soit j'y vais plus tard. Comme il y a longtemps. Soit je me fais tuer tout de suite, soit je me fais tuer plus tard. Mais là, pas question de fugue. Il faut faire face à la musique. Ça ne tient à rien. À rien. Les autres parlent entre eux. Du bruit. Je ne comprends rien. Je ne sais plus. Un murmure lointain. Tout au plus un grondement sourd. Je me rapproche de la porte. L'infini à portée de main. Avec un peu de chance, l'infirmière y sera encore. Personne ne me voit, pourtant on est collés les uns aux autres. Je m'étonne un moment que personne n'y soit retourné, mais au fond, nous sommes tous pareils, personne ici ne doit avoir envie d'aller tout seul là-dedans. Bon. J'ouvre la porte. Je rentre, je referme. L'infirmière n'y est plus. Le corps repose droit sur son lit, je ne le regarde pas, mais sa présence m'imprègne à chaque instant. Je vais vers mon manteau. Je regarde le mur. La morte est derrière moi. J'imagine un instant qu'elle se redresse dans son lit et j'ai envie de mourir. Une chaleur de volcan me monte à la tête et malgré la sueur, et la crainte, et la mort, et la folie de cet instant, je continue à me raccrocher à la réalité en posant des actes précis et clairs : je prends mon manteau, je le mets, je le zippe, je suis prêt, je me retourne.

La femme aux membres de bois est debout dans la chambre.

J'en ai le souffle coupé. Je veux fuir mais je ne peux pas bouger. Elle est là et je la regarde. Il n'y a plus que nous. Plus de lit. Plus de cadavre, plus de lumière. Elle, là, à quelques pas de moi. La tête baissée. Elle grince des dents. Elle relève la tête. Son voile tombe. Elle me fixe. Et son regard me pénètre comme une coulée de neige. Je la vois maintenant, je la vois. Je vois son visage et je la reconnais. C'est la guerre. C'est la guerre dans la chambre. Celle de l'autobus en flammes il y a longtemps. Je veux hurler. Mais rien ne sort. Rien. Elle fait un pas en avant. Jambes de bois. Et moi, je la regarde toujours, incapable d'en détacher les yeux. Je la regarde, je regarde son visage et je la reconnais. Avec toute l'enfance

dont je suis capable, je la reconnais. Reconnais
toute ma colère et toute ma peine. Reconnais ma
rage et ma haine. Je la reconnais. Elle s'approche,
tend ses bras de bois et me hurle comme elle me
hurlait au cœur de mes cauchemars anciens : « Ton
cœur est à moi ! » Ses mains se crispent. Mains de
bois. Je suffoque ! J'en crois pas mes yeux. Je la
reconnais. Aveugle, aveugle, j'ai été aveugle ! Elle
peuplait mes angoisses et mes nuits, me terrassait
chaque fois qu'il faisait noir, faisait hurler mon
âme, tourmentait mes solitudes, et je ne l'ai jamais
reconnue ! À elle seule, elle était l'éclatement de
toutes mes douleurs. Tapie dans tous les recoins
de mon âme, elle surgissait au moment où, au
cœur d'une trop effrayante obscurité, j'invoquais
la lumière. Elle apparaissait de mon aveuglement
dû à la soudaine clarté et s'apprêtait à me dévorer.
Son visage m'était demeuré caché, ma peur était
trop grande pour que je puisse le voir, or, voilà
qu'aujourd'hui il se révèle à moi : la femme
aux membres de bois a un visage pâle avec une
longue chevelure blonde. J'ai vécu si longtemps
à ses côtés sans me méfier ! C'était elle ! C'était
elle ! La guerre c'était elle. Le cancer c'était elle !
La femme aux membres de bois ! Je n'ai rien vu.
Rien compris. Je n'ai pas pris l'enfance avec assez
de sérieux. Avoir su ! Avoir su ! Avoir mieux
regardé, mieux écouté, j'aurais su résister, su
me battre et éviter le sacrifice de ma mère. Mais
j'étais trop petit et ma mère, courageusement,
s'est dressée sur son chemin et elle s'est fait

dévorer à ma place, s'est sacrifiée à ma place : une louve défend toujours ses petits. Merci maman. Pardon maman. Il n'y a pas de Dieu, mais tout de même, je garde espoir : je fais un pas en avant, et, parlant à ma mère en regardant les yeux de cette femme horrible, je dis : « Maman, je sais que tu es encore là. » Ma voix n'a jamais résonné de la sorte. « Maman, je sais que tu es encore là. » La femme aux membres de bois se met à hurler comme elle hurlait jadis lorsqu'elle cherchait à m'étrangler. Avant, je fuyais. Aujourd'hui, aucune échappatoire. C'est maintenant. Je dois faire face à la tempête. Mon blouson me protège. Je me rapproche d'elle. Elle est là, avec sa longue chevelure blonde et ses membres de bois. Hideuse. Elle est là, terrifiante, mais elle a beau me faire croire qu'elle va m'étrangler, qu'à l'instant elle va me saisir à la gorge et m'arracher la tête, elle a beau investir toute mon imagination, j'avance vers elle, imperturbable, et je regarde son visage. Je me tiens debout devant elle. Je tremble. Ma fin est proche, le gouffre est terrifiant. Elle hurle, elle hurle ! Je la laisse me dévorer, ma chair se détache de mon visage à chaque morsure, je coule, je fonds, je me décharne au feu insoutenable de sa haine. Du napalm à chaque hurlement, mais je lui tiens toujours tête, désespérément. Je la laisse me traverser, je laisse ses mains de bois tordre mon cou, les ligaments se déchirent, le cou craque, les os se brisent, je ne peux plus respirer, et sans cesse je regarde son visage, je regarde son visage de mort, et je suis en colère, et mes yeux sont des volcans qui crachent des soleils. «Je t'attrape enfin», hurle-t-elle. Tout est perdu! La vie me quitte. Plus rien sous mes pieds. Plus de sol. Plus rien pour me sauver. Trop tard, il est trop tard, elle a gagné, j'en suis convaincu. Je ne me débats plus. Quelque chose en moi accepte. J'accepte. D'un coup, la porte s'ouvre et je vois la horde des loups, des grands loups blancs du Nord, envahir la chambre, sauter sur la femme aux membres de bois et la dévorer. La grande louve lui attrape le cou. La femme crie, s'enrage, se débat, mais rien à faire, les loups sont trop nombreux et ils portent en eux la colère de leur race. Elle me lâche. Je respire. Je reprends vie. Je retrouve mes forces. Je la fixe à mon tour, je la mitraille des yeux. Je vois sa peur. Je plante mon dernier clou : «Tu n'es plus maîtresse de ma vie.» Elle entend ma colère, ses yeux se noient, son regard se fissure et, à travers les interstices de sa laideur, je recompose, petit à petit, le visage oublié de ma mère. La chambre d'hôpital réapparaît, avec elle la chaise, et les lumières et le corps de ma mère couché dans son lit de mort. La chambre est pleine de loups. Le sang noir de la femme aux membres de bois encore fumant dans leurs gueules enragées. Il n'y a qu'une peur d'enfance pour terrasser une autre peur d'enfance ! Ma mémoire refait surface. Je regarde le visage de ma mère. Visage de beauté. C'est un visage qui est mort. Je me penche. Dans ses rides, je vois les chemins que j'ai parcourus lors de ma fugue, lorsque j'allais à travers le monde pour sauver mon âme. Penché sur le visage de ma mère, je vois les vallées profondes que j'ai descendues pour me rapprocher du monde. Je regarde son visage. La peur est conjurée, maman. Le voyage peut commencer pour moi. Je me rapproche de son oreille, j'y colle mes lèvres. Je respire son odeur. Elle est encore là. À peine perceptible, fleur blanche au milieu du chemin. J'essaie de lui dire mon amour. Je dis : «J'aurais voulu te connaître, mais trop de peurs nous ont séparés. Tu resteras désormais au cœur de toutes mes couleurs. Pardon pour les inquiétudes.» La mémoire recomposée. Je peux dire Avant la tête haute. Le temps ne passe plus de la même manière. Le jour est levé. Les loups sont invisibles. Je sors de la chambre. Je referme la porte.

Je marche dans la ville. Je suis fatigué. Le trajet jusqu'à chez moi est long. Je marche sous la neige. Le printemps est encore loin. J'arrive devant la bibliothèque du quartier Côte-des-Neiges, je m'arrête pour attendre l'autobus. Comme il y a quelques années. Mon nom sur la feuille de l'École des beaux-arts. Délivré du poids du monde. Il y a une cabine téléphonique. J'appelle Marie. Je la réveille. Je lui dis Ma mère est morte. Elle me demande si ça va. Je dis Oui, sans chercher à convaincre. Est-ce que tu as pleuré ? Non, mais je ne m'en fais pas, Marie, tu es là.

J'attends encore un peu. Je me remets à marcher. Je croise des passants. Ils ne se doutent de rien et c'est tant mieux. J'arrive dans mon quartier. Je m'assois sur un banc. Je regarde les gens. Un autobus passe. Bondé. Pas de danger. Une vie bouleversante s'agite autour de moi. Je dois rentrer chez moi. Un tableau à faire. Une histoire à terminer. C'est comme ça. Le froid m'engourdit. Je me lève.

Je regarde la toile blanche fixée sur le mur. Mes couleurs sont là. Les pinceaux sont prêts. Je commence toujours dans le silence. Maya. Le temps. Un vol d'oiseaux dans le ciel froid de l'hiver. Je souris. Qu'est-ce que je peux faire d'autre ?

Simplement la vérité.

Je ne sais plus pleurer.

TABLE

ACHEVÉ D'IMPRIMER
EN OCTOBRE 2011
SUR LES PRESSES DE
MARQUIS IMPRIMEUR INC.
POUR LE COMPTE DE
LEMÉAC ÉDITEUR
MONTRÉAL

DÉPÔT LÉGAL
1re ÉDITION : 1er TRIMESTRE 2010
(ÉD. 01 / IMP. 03)

Imprimé au Canada